让青少年一生受益的

战争故事

品读故事　结缘经典　增长智慧

让青少年一生受益的

战争故事

文羽军◎主编

青岛出版社

故事书的静与美

——代前言

在这个世界上,真正物美价廉的东西无过于一本好书。好书必须达到这样的水准:有益读者增长新知,或者可帮助读者解决问题。否则,即使其外表极为光鲜、内容千真万确,也不能算是好书。

呈现在您面前的这套故事书共8种,分别是希腊神话故事、伊索寓言故事、哲理故事、励志故事、感恩故事、幽默故事、传奇故事和战争故事。我们之所以将这些故事书冠以"让青少年一生受益"之名,就是因为确信它们都是对青少年读者大有裨益的好书。

为什么我们敢于这样自信满满呢?答案在于:这套书是我们十几位参编人员认认真真编写出来的,凝结着我们两年来的心血和智慧。英国作家史美尔斯说过:"好书有不朽的能力,它是人类活动最丰硕长久的果实,是生活中最宝贵的财富之一。"我们不敢奢望这套故事书会不朽,但通过辛勤的工作使其沉静、美丽却的确是我们的追求。

生于这个时代是幸运的,因为有太多优秀的书籍可供我们品读。然而对于广大青少年朋友来说,琳琅满目的各种"经典"、"名著",往往让人有无所适从之感。与成人更关注人物命运、世态万象不同，青少年的阅读兴趣主要在于追求故事性。闻一多先生曾指出，中国上古和中古时代的文学沉醉于诗的吟唱、情的抒写，缺乏对故事的兴趣，唐代以后，国人的故事兴趣方始觉醒；到宋元时代，人们已对故事性、戏剧性极为着迷。当这种故事趣味的启蒙基本完成之后，人们才会有更高的艺术追求，才能进而创作、欣赏《红楼梦》这样的更侧重塑造人物形象的巨著。闻一多先生是就整个中国文学史来说的，具体到每位读者来讲其实也存在一个"故事趣味的启蒙"问题。有鉴于此，选择世人公认的经典名作，部分地消解其艺术性，突出体现其故事性，为青少年进入文学殿堂提供贴心、合适的台阶，就成了我们编写本套书的出发点。

和书生活在一起，永远不会叹气。读一本好书，就是和一个高尚的人谈话；而读过一本好书，就像交了一个益友。好的书籍往往包含着好的故事，使人在穿行于优美文字的同时也经历精神的探险。被誉为中国古代通俗文学第一功臣的明代编辑家、故事家冯梦龙曾写道：许多故事"可喜可愕，可悲可涕，可歌可舞"，"虽曰诵《孝经》、《论语》，其感人未必如是之捷且深也"。可以说，本套书中的这些故事都是无穷尽的智慧宝藏，其中蕴含着慰藉心灵的感动，值得反复阅读。

本套故事书共收入各种故事400余则，其选目是自上千种书籍、影视资料中广搜博求而来。我们主要利用中国国家图书馆和北京大学图书馆馆藏资源，遍览古今中外的文学名著、史籍传说、戏剧电影，从中筛选出最具故事性、趣味性的经典原著，然后负责任地对它们进行改写，既做到尊重原著的主要情节脉络、语言风貌，又尽量将一些文学性的表述改为故事体裁，以合乎本套书的体例要求。这样做的一个直接结果就是大大增强了阅读趣味,相信会受到广大读者朋友的欢迎。

　　作为主编,我感到欣慰的是,在编创过程中,全体参编人员均能按照编写要求,做到参考资料权威、叙述注重文采、成文为故事体例、点评必切中要义。这里我要向参编的老师们表示诚挚的感谢:有的老师为了给所负责的希腊神话故事找到权威的参考书,冒雨走遍全城,终于寻访到著名翻译家楚图南先生于上世纪50年代出版的《希腊的神话和传说》;有的老师为编写传奇故事中的"开膛手传奇",熬夜到凌晨三点,录下星空卫视电影台播出的相关影片,反复观看……正是由于大家认真负责,这套故事书才能像现在这样以静、美的姿态呈现给读者朋友。

　　在当前浮躁的社会背景下,我们沉下心来编成了几本书。虽然不敢说书中没有疏漏错谬,但我们确曾对书中的每一个字都进行过精心的打磨。希望这些静默而美好的文字能够切实地帮助广大青少年读者朋友完成故事趣味的启蒙,开启文学性灵,丰富生活阅历,以增长有益人生的大智慧。

文羽军

于南海缘居

目录

3

马拉松之战

公元前 5 世纪中后期,波斯帝国控制了从印度河流域到埃及的广大地区。但它仍贪心不足,宣称要征服希腊,随即发动了两次希波战争。

公元前 492 年,波斯帝国出动 300 艘运兵船,向希腊驶去。由于受到飓风的阻挠,在穿越爱琴海时,这 300 艘运兵船连同所载人员、物资一并沉入了海底。损失惨重的波斯帝国无奈撤军,希腊因而躲过了一劫。两年后,波斯帝国一方面为报雅典和希腊各城邦对米利都人反抗波斯统治进行援助之仇,另一方面垂涎希腊的土地和财富,就派使者出使希腊,索要"水和土",意即让希腊臣服于波斯。希腊境内的一些小城邦慑(shè)于波斯帝国的强大武力,表示愿意顺从,而最大的两个城邦——雅典和斯巴达则分别把波斯使者抛入了大海和井中。波斯国王大流士一世恼羞成怒,马上发动了第一次希波战争。马拉松战役是这次战争中的关键一役。

公元前 490 年春,波斯数万步兵和骑兵分乘 600 多艘战舰,号称 10 万大军,浩浩荡荡地横渡爱琴海。这一次,他们顺利地登岸了。之后,攻势凶猛的波斯大军接连攻占纳克索斯、卡里斯托斯、爱勒特里亚等城邦,冲过马

拉松山谷,进至雅典郊外的马拉松平原。雅典形势危急。

　　面对来势汹汹的波斯大军,在是否迎战这个问题上,雅典执掌兵权的10位将军产生了分歧。反对者认为波斯难以匹敌,主张求和,臣服波斯;曾经参加过米利都人反抗波斯侵略的雅典将军米太亚德则坚决主张迎战。最终,处境险恶的雅典当局决定一面准备应战,一面派人向斯巴达求助。被派往斯巴达去求助的是雅典的长跑健将斐里庇第斯,他仅用一天时间就跑到了距离雅典200多公里的斯巴达城。出乎雅典人意料的是,斯巴达竟拒绝出兵援助。斐里庇第斯只好无功而返。得知外援无望,雅典人的斗志反而更加旺盛了。他们火速组织兵力,赶往马拉松平原,占据了有利地形,准备迎击波斯大军。

　　雅典法律规定,10位将军轮流掌握兵权,轮值的将军若要采取重大军事行动,须提前与其他9位将军商议,以少数服从多数的原则决定军事行动是否执行。在战前的军事会议上,将军们就被动防御还是主动出击展开了激烈的争论,结果两种意见所得的票数相同。雅典军事执政官卡利乌斯非常信任米太亚德,便听从了他提出的主动出击的意见。由于大军压境,而米太亚德又表现出了异乎寻常的果敢,其他将军便主动放弃了轮流掌握兵权的权利,让米太亚德全权指挥反抗波斯入侵之战。

　　当时的雅典,步兵和骑兵加起来也不过万人,波斯军队在数量上占有绝对优势。在作战前动员时,米太亚德对士兵们说:“雅典是永远保持自由,还是戴上奴隶的枷锁,关键就在你们!”米太亚德的动员激起了将士们保卫家园的勇气和决心。由于两军兵力悬殊,如果正面对抗,雅典肯定难敌波斯。有鉴于此,米太亚德根据马拉松平原的地形特点,制订了正面佯攻诱敌、两翼埋伏包抄的战术。

　　正当雅典军队准备下山列阵时,一支援军出人意料地到达了。这支援军来自希腊小国普拉提亚。多年前,雅典曾经帮助普拉提亚打退了邻国的侵略。普拉提亚一直对雅典感恩戴德,这次得知雅典有难,立刻举全国之兵赶来救援。虽然普拉提亚的援军只有一千余人,但却极大地鼓舞了雅典军队的士气。

大战即将开始。两军相距大约只有一公里,雅典将士居高临下,可以清楚地看到马拉松平原上波斯人密密麻麻的军营。为了把波斯弓弩手的杀伤力降到最低限度,米太亚德命令负责佯攻的战士们飞奔下坡。雅典士兵在盾牌的掩护下,以四排横队的阵势向波斯人勇猛地发起了冲锋。波斯人见雅典士兵不要命地冲了过来,都觉得很好笑。

"射击——"波斯指挥官一声令下,弓弩齐发,箭如雨下。有的雅典士兵中箭倒下了,但整个冲锋队毫不退缩,反而加快了突击的步伐。自高自大的波斯人见对方人数不多,又没有骑兵和弓弩手,就立即组织了反冲锋。

果然不出波斯人所料,波斯军队开始反攻后,雅典士兵迅速由进攻转为退却。波斯人以为就要夺取胜利了,为了抢功争赏,都紧追不舍。然而就在波斯人得意忘形的时候,早就埋伏在南北山坡上的雅典重步兵疾风潮水般地冲杀了下来。这是米太亚德将军在两翼配置的部队,各有半里长,前后八排。刚才正面退却的雅典士兵也迅速和两翼呼应,重新杀了回来。这一来,雅典军队很快对波斯人形成了"凹"式的弧形包围圈。

两军短兵相接后,雅典重步兵因配备有长矛和青铜铠甲而占据优势。他们斗志昂扬,越战越勇。波斯士兵手中拿的是藤编盾牌,身上穿的是有衬垫的紧身衣,装备上明显处于劣势。而在狭小的空间里,波斯骑兵和弓弩手的优势也丧失殆尽。在雅典军队的三面围攻下,波斯军队自乱阵脚,很快就溃不成军了。

后来,波斯人付出极其惨重的代价才突出了重围。他们没命地向海边

逃窜。海边的战斗同样惊心动魄:一个雅典战士为了不让敌船逃跑,跳到水里紧紧地抓住了敌人的船尾。船上的波斯士兵操起斧头砍断了他的胳膊,但他仍不退缩,忍着剧痛,又将另一只胳膊搭上了那条敌船。最终,这条波斯船被雅典战士俘虏了。这一仗,波斯人丢下了 6400 具尸体和 7 艘战舰。雅典只损失了 100 多人。但雅典军事执政官卡利乌斯不幸战死。

与此同时,雅典卫城的山崖、高地和中心广场上聚集着成千上万的老人、妇女和儿童,他们在焦急地等待着来自前线的消息。米太亚德将军也急于把胜利的消息传达给雅典人民,便命令长跑健将斐里庇第斯担当这个光荣的任务。在战斗中已经受伤的斐里庇第斯一心想着早点儿到达中心广场,第一时间告诉人们胜利的消息,就不顾一切地一路狂奔,结果刚到达广场就因伤痛和劳累过度而倒地身亡了。这位英雄留给人们的最后一句话是:"狂欢……吧,雅典人,我们……胜利啦!"

眼看着这样一个勇猛的战士倒在眼前,雅典人悲痛不已。不过听说自己的军队打败了侵略者,他们又含着眼泪狂欢起来。这种狂欢是发自内心的,是对侵略者的唾弃和对英勇抗击侵略者的英雄们的崇高礼赞。

智慧点灯

　　本则故事根据有关史料改编而成。马拉松战役中,雅典人以少胜多,以弱胜强,最终打败了敌人,取得了胜利。这对此后的战争进程产生了深远的影响。马拉松战役后,希腊各城邦进一步加强团结,结成了由30个城邦组成的同盟,从而壮大了反对波斯帝国的力量。英国有一位军事史家曾形象地指出,马拉松战役是"欧洲出生时的啼哭"。

　　从马拉松平原到雅典城的距离为42.195公里。为了纪念为尽快报捷而拼命奔跑并最终为之献出生命的英雄斐里庇第斯,现代奥运之父顾拜旦等人决定,在1896年于雅典举办的第一届现代奥林匹克运动会中用这个距离设一个竞赛项目,定名为"马拉松赛跑"。这应该是这场残酷的战争所留给世人的最有意义的一项文明成果。

斯巴达克起义

　　在古罗马奴隶制时代，奴隶主在意大利各处都建有大规模的庄园。他们掳掠来大批奴隶，强迫奴隶们为自己劳动。为了取乐，这些奴隶主还建造了庞大的角斗场，强迫奴隶进行角斗。被选中进行角斗的奴隶被称为角斗士。他们平时被送到角斗士培训学校参加训练，比赛时则被像牲口一样驱赶到赛场上，要么与饥饿的狮子、公牛搏斗，要么手握利剑、匕首相互残杀。一场角斗下来，场上往往会留下好几具角斗士的尸体。

　　公元前 73 年的一个深夜，罗马中部卡普亚城的角斗士学校的一间牢笼里突然发出了一声可怕的惨叫。几个负责守卫的士兵急忙赶过去，隔着铁窗厉声喝问："干什么？找死啊！还不老实睡觉！"

　　一个角斗士从铁窗里探出脑袋说："大人，这里打死人了！一个高卢人打死了我们的伙伴，我们已经将他制伏。你们看该怎么处理？你们要是不管，我们就勒死他！"

　　几个士兵拿油灯一照，果然见牢笼里面死了一个人，另一个人则被几个角斗士紧紧地扭着。为首的一个士兵没好气地说："把他交给我们吧，把死人也抬出来!"他边说边打开了牢门。说时迟那时快,角斗士们猛地冲出来,迅速击倒了那几个士兵。他们拔出士兵们身上的短剑,呐喊着冲向了匆忙集合起来的守卫们。这些守卫不堪一击,紧接着,关押角斗士的铁门一扇扇地被冲出牢笼的角斗士们打开了,大家都挥舞着镣铐冲到了院子里。

"角斗士们,生命在我们手中,起义吧!"角斗士们群情激奋,山呼响应。"起义!"随着一声高昂的呼喊声划破夜空,人们簇拥着一个高大威武的角斗士向外跑去,瞬间消失在无边的夜幕中。

这个高大威武的角斗士名叫斯巴达克,正是他策划了这次角斗士起义。斯巴达克本是希腊东北部的色雷斯人,在一次战斗中被罗马人俘虏而沦为奴隶。奴隶主见他体格健壮,反应敏捷,便把他送到角斗士学校,想要把他训练成一个出色的角斗士。在角斗士学校里,斯巴达克凭借勇敢和智慧成了角斗士们的领袖。他利用一切机会劝说角斗士们为自由而战,并秘密组织大家准备暴动。这一天,在他的巧妙安排下,暴动成功了! 当夜,他带领着70多个角斗士冲出了虎口。

斯巴达克率领角斗士们逃离卡普亚城的角斗士学校后,登上了维苏威火山,在那里安营扎寨。听到角斗士们起义的消息,逃亡的奴隶和农民纷纷前来投奔。很快,起义军的队伍由最初的70余人发展到了1万多人。斯巴达克按照罗马正规军的编制将起义军改编,建立了数个步兵军团,还建立了一支规模不小的骑兵。起义军有严格的战斗纪律,并进行了正规的军事训练。不久,起义军就控制了附近的整个平原地区。见起义军的声势不断壮大,罗马的奴隶主当权者惶恐极了。

公元前72年春,罗马元老院派了3000名精锐的重骑兵前来镇压斯巴达克起义军。他们凭借坚硬的铠甲和优良的武器打败了起义军,并步步为营,把起义军驻扎的山头封锁起来,妄图困死起义军。这时,斯巴达克向起

义军发布了命令："宁可战死沙场，也不坐以待毙！"巡视战场时，他发现一些战士正在用野葡萄藤编织盾牌，顿时心生一计：用野葡萄藤编织成软梯，然后顺着软梯从悬崖峭壁下山，不就可以突破敌人的封锁了吗？他的妙计得到了战士们的响应，很快，一条长长的软梯就编好了。当晚，起义军就在夜色的掩护下顺利地转移到了山下。他们包抄到罗马军队的背后，发起了猛攻。毫无准备的罗马军队猝（cù）不及防，被打得丢盔弃甲，溃不成军。

取得这场恶战的胜利后，起义军规模越来越强大，最终发展到了6万余人。斯巴达克认真地分析形势，认为在敌强我弱的情况下，在意大利本土建立政权比较困难，于是主张离开意大利，翻越阿尔卑斯山，进入罗马势力尚未到达的高卢地区，以摆脱罗马帝国的统治，获得自由。但是，起义军中有很多战士原是当地的牧民、贫农。他们不愿离开意大利，希望继续与罗马军队作战，夺回失去的土地。这一分歧最终导致3万人脱离了起义军。他们在伽尔伽努斯山下被罗马军队击溃了。当斯巴达克闻讯赶去救援时,已经来不及了。

随后,罗马元老院又派遣两万多人,兵分三路,前来攻打起义军。斯巴达克率领起义军成功地摆脱了敌人的围追堵截,按原定计划北上。

公元前72年夏,起义军来到阿尔卑斯山下。阿尔卑斯山高耸入云,终年积雪,气候恶劣,大队人马要想翻越过去几无可能。认真分析了局势后,斯巴达克放弃了翻越阿尔卑斯山进入高卢地区的计划,掉过头来挥师南下,想要争取渡海到地中海的西西里岛。

罗马元老院先前千方百计地不让斯巴达克起义军跑出意大利,现在却变成想方设法地不让他们进入意大利了。罗马士兵在起义军南下的路上设置了层层防线,但都抵挡不住士气高昂、如猛虎下山般的起义军。斯巴达克率军迅速挺进到了意大利半岛的南端,准备渡海了。

面对这支驰骋于意大利境内的强大的起义军,罗马统治集团惊慌失措。元老院宣布国家进入紧急状态,选任大奴隶主克拉苏统率大军,前去镇压起义军。克拉苏恢复了原是意大利军队传统的残酷的"十一抽杀律"——临阵脱逃的士兵,每10人编为一组,每组抽签处死一人。罗马士兵为了活命,只得硬着头皮冲锋陷阵,客观上提高了军队的战斗力。克拉苏不光心狠手辣,而且老奸巨猾。为了阻止起义军再度北上,他命令士兵在意大利半岛南端挖了一条壕沟。这条壕沟长约55公里,宽和深均为4.5米,沟边还修筑了高大坚固的防护墙,用以阻挡起义军突围。

公元前71年初秋的一天,斯巴达克率军与敌军展开了生死决战。战斗中,斯巴达克英勇无比,以一当十。正当他骑着黑骏马,奋不顾身地和敌人搏斗时,一个罗马军官冷不防在他背后向他猛刺了一枪。斯巴达克的腿部受伤了,跌下马来。战士们立即冲上去救他。"快上马突围!"战士们恳求斯

巴达克骑上马，好冲出重围。但斯巴达克却用短剑刺死了马，发誓要和战士们同生死，共进退。他屈下受伤的那只膝，举盾向前，勇猛地痛击进攻的敌人，直到力竭倒下为止。

全身上下被刺了十几处的斯巴达克壮烈牺牲了。6000 多名被俘虏的起义军战士全都被嗜血成性的克拉苏钉死在从卡普亚到罗马城路边的十字架上。但是，斯巴达克起义军的残部并没有就此被吓倒，他们又继续坚持斗争了十几年。

斯巴达克起义的意义远远超出了这次起义的本身。它沉重地打击了奴隶主统治阶级，加速了罗马政权由共和制向帝制的过渡。斯巴达克虽然壮烈牺牲了，但他为了争取自由而不惜牺牲生命的大无畏精神却永远散发着熠熠(yì)的光辉。

智慧点灯

本则故事改编自美国电影《斯巴达克斯》(2004 年)，讲述了斯巴达克起义的悲壮历史。在人类战争史上，反抗阶级压迫的战争占有相当大的比重。在这种战争中涌现出的历史人物及其革命事迹无不英勇悲壮、可歌可泣，斯巴达克就是其中最杰出的一位。他领导的奴隶起义虽然失败了，但他那种不畏强暴、以英勇抗争来寻求解放的斗争精神却影响了一代又一代人。

马克思曾称赞斯巴达克说："(斯巴达克)是整个古代史中最辉煌的人物。他是一位伟大的统帅，具有高尚的品格，是古代无产阶级的真正代表。"的确，斯巴达克身上所表现出来的革命性至今仍激励着那些为了自由而抗争的人们。

拿破仑兵败滑铁卢

　　1812年9月，法兰西第一帝国皇帝拿破仑·波拿巴率领的法国远征军在俄国境内遭到惨败，不得不退回法国。英国、俄国、普鲁士和奥地利等封建国家看到法国元气大伤，便迅速组成了第六次反法同盟，企图趁火打劫，一举消灭法兰西第一帝国。见大军压境，拿破仑率领10万军队前去迎战反法同盟的35万联军，结果被联军击溃。拿破仑被迫宣布退位，被流放到了地中海的厄尔巴岛上。但拿破仑并不甘心，他时刻关注着时局的发展，企图东山再起。

　　1815年初，反法同盟在维也纳召开会议，商讨如何瓜分取自法国的利益。会上，各国代表因分赃不均而大吵大闹，以至于出现了剑拔弩张、横刀相向的局面。法国人民不愿被别人玩弄于股掌之间，因而十分怀念那辉煌的拿破仑时代。

　　拿破仑见时机已成熟，便决定重返法国。1815年2月26日深夜，拿破仑率领1000多名士兵，分乘6艘小船，巧妙地躲过监视厄尔巴岛的联军军舰，经过三天三夜的航行，抵达法国南岸的儒昂湾。在那里，拿破仑感到自

己重新成了法兰西第一帝国的皇帝,不由得意气风发。他站在岸边,向闻讯赶来迎接他的士兵们发表了热情洋溢的演说:"勇士们,我们并未失败!我时刻在倾听你们的声音。为我们的今天,我历经艰辛!此时此刻,我终于又回到了你们中间。来吧,让我们并肩战斗,去争取属于我们的自由和荣誉!"士兵们受到鼓舞,热血沸腾,高呼万岁。拿破仑随即组成兵团,向巴黎进军。大军所到之处,旧部纷纷赶来归附。3月12日,拿破仑未放一枪一炮便顺利进入巴黎,重登皇位。

拿破仑复辟的消息很快传到了维也纳,正在开会的反法同盟的各国代表听到后惊恐万分,立刻停止争吵,联合发表了临时宣言,宣称拿破仑是"世界和平的扰乱者和敌人","不受法律保护"。随即,各国君主迅速集结兵力,组成了反法联军。反法联军共集结了70万重兵,在巴克雷、弗里蒙、布吕歇尔、威灵顿等将领的率领下分头进击巴黎。

面对来势汹汹的反法联军,拿破仑积极备战。到6月上旬,已有18万人集结在拿破仑麾(huī)下。不过由于时间仓促,当反法联军大举发动进攻之时,法军只有12万人能够上阵,这对拿破仑来说非常不利。拿破仑认真分析敌情后,决定主动出击,集中兵力攻打联军主力。在他看来,对法军威胁最大的是集结于比利时边境的英、普联军,因而当务之急是趁反法联军尚未会合时先击溃英、普联军,打败威灵顿和布吕歇尔这两员宿将。

作战计划拟定后,拿破仑于6月12日指挥12万法军悄悄地赶到比利时边境,驻扎在与普军只隔一片密林的地方,摆开了阵势。

6月16日下午2时,战斗打响了。法军主力7万人在林尼附近同布吕歇尔率领的普军主力8万人交战。拿破仑另派5万兵力牵制英军,希望能够把英、普军队分开,各个击破。

战况异常激烈,枪炮声、呐喊声此起彼伏。布吕歇尔在战斗中摔伤,普军军心大乱,四散奔逃。拿破仑认为普军败局已定,下令法军休整一天。第二天,他令格鲁希元帅率军追击普军。然而格鲁希元帅用兵墨守成规,不但没有追击到普军,反而迷失了方向。布吕歇尔趁机把残部集结起来,伺机发动反攻,这对法军构成了严重威胁。

拿破仑击溃普军后,亲率大军转攻英军。威灵顿听到布吕歇尔战败的消息后,害怕孤军作战会失利,便率领军队朝比利时首都布鲁塞尔附近的滑铁卢方向撤退。法军将领内伊受命拦截英军,但由于他优柔寡断,错失良机,致使英军顺利撤走。拿破仑气愤异常,但已无济于事,只得率军尾随英军追至滑铁卢附近。

威灵顿率 6 万余名英军,携 200 多门大炮在滑铁卢南侧布阵。阵地的后方是圣让山,前面是一片洼地,左侧是几个小村庄和沼泽、灌木林,右侧建有坚固的堡垒。威灵顿号称"铁公爵",在战术上长于防守而短于进攻。在与拿破仑交战之前,他慎之又慎,做好了充分的防守准备。这一正确的防守战术为他最后赢得胜利奠定了基础。

6 月 17 日晚,拿破仑制订了 18 日的作战方案:早上 6 点,全军向英军发起总攻,要求速战速决,力争在中午时分结束战斗。事实证明拿破仑过于乐观了。所谓"天有不测风云",滑铁卢地区在 17 日夜下起了滂沱(pāng tuó)大雨。大雨一直持续到 18 日上午,拿破仑不得不一再推迟开战时间。开战前,拿破仑写了一封信,派人给格鲁希元帅送去,要求他尽早赶到滑铁卢参加战斗。

18 日上午 11 时 30 分,天气转晴,拿破仑下令全线出击。7.4 万名法军在 250 余门火炮的掩护下,越过低洼地带,向英军驻扎的山冈冲去。英军顽强抵抗,炮弹像骤雨般落在法军阵地上,致使法军死伤惨重,不得不撤了下来。下午 1 时,法军又发动了第二波进攻,与英军在阵地上展开了拉锯战。

战斗持续了好几个小时,空旷、泥泞的战场上遍布尸体,双方均损失惨重。此时,拿破仑与威灵顿都意识到了问题的严重性:这样的消耗战只有一种结果,那就是两败俱伤。在这种情况下,谁的援军先到,谁就会赢得最终的胜利。威灵顿等着布吕歇尔,拿破仑则盼着格鲁希。

在伺机发动第三轮更为强有力的攻势时,拿破仑用望远镜向四周观望,侦察敌情。突然,他看见一团黑影从东边逼近了战场。"那是什么?"拿破仑警觉地问身旁的侦察官。"大概是一片森林吧!"一个中尉回答。"不,那是兵团!"拿破仑凭借丰富的作战经验,得出了正确的判断。他以为那是格鲁希元帅的部队,内心不由得一阵狂喜。但为了谨慎起见,他还是命令卫队去打探一下,搞清楚那到底是谁的部队。

过了不久,法军逮到一个普鲁士骑兵军官,把他带到了拿破仑的跟前。拿破仑一见到这个普鲁士军官心里就凉了一大截——这说明那团黑影是布

吕歇尔率领的普鲁士军队。

为了在布吕歇尔的援军完全到来之前结束战斗，拿破仑孤注一掷，把最后4000名近卫军都调入进攻的行列，向英军阵地发起了最后一次猛攻。成千上万名法军士兵排成70人一队，爬上陡坡，拼死向前冲去。法国骑兵也浩浩荡荡地登上了英军驻扎的山冈。眼看离胜利只有一步之遥了，突然间炮声大作，布吕歇尔率领的普鲁士军及时赶到了！他们架起了火炮，从侧面猛轰法军。这时，威灵顿手下的后备军也排山倒海般地扑向了法军。受到英、普两军夹攻的法军一下子陷入了困境。

拿破仑简直不敢相信自己的眼睛。他的部队已经全部用上了，再也派不出一兵一卒，只得眼巴巴地看着自己的士兵任人宰割。拿破仑通过望远镜看着这惨痛的一幕，无奈地长叹一声，说："一切都完了！"

那么格鲁希的军队呢？有人说格鲁希接到了拿破仑让他增援的命令，却理解为增援别的部队，所以尽管他听到了就在近处的隆隆炮声，但却仍然无动于衷。如果他稍微动一动脑筋，立刻赶到战场，滑铁卢之战也许就是另外一种结局了。不过，也有人说格鲁希并没有接到拿破仑的命令，所以不敢轻举妄动，只好在原地待命，一直在等待、等待……直到拿破仑全军覆没。不管怎么说，拿破仑大败于滑铁卢，格鲁希负有无法推卸的责任。

18日晚上9时，借着月光，普、英联军突破了法军的防线。法军士兵乱作一团，四散奔逃。泪流满面、脸色苍白的拿破仑带领数千名残兵退回了巴黎。拿破仑心中明白，滑铁卢一战已彻底结束了他的戎马生涯。

6月22日，拿破仑被迫再次退位。这一次，他被流放到了大西洋上的圣赫勒拿岛。从此他就孤独地生活在这个小岛上，直到1821年郁郁而终。

滑铁卢之战的失败标志着法国自大革命以来二十多年对外战争的结

束。战争结束后,法国与反法同盟签订了《维也纳和约》,丧失了欧洲霸主的地位,同时也失去了与英国争夺欧洲乃至世界霸权的能力。

智 慧 点 灯

本则故事根据相关史料并参考电影《拿破仑》改编而成。在世界战争史上,滑铁卢大战以其持续时间短、战争影响大、结局出人意料而著称。这一战不仅彻底结束了拿破仑的军事生涯和政治生命,改变了欧洲的历史进程,也使滑铁卢这片堆满了6万多具将士尸骨的土地载入史册,成为一代又一代人前往凭吊的著名的古战场。

在这次大战后,"滑铁卢"这三个字被作为"失败"的代名词广泛使用。虽然历史无法假设,但我们还是可以设想一下,如果没有大战前的那场大雨,如果大战在普鲁士军队到来之前就结束,如果格鲁希元帅用兵灵活,历史会不会是另一种写法呢?

葛底斯堡战役

19世纪的美国,北方的资本家集团与南方的庄园主集团之间的矛盾非常尖锐。北方的资本家为了发展自己的工厂,迫切需要大量自由劳动力,所以极力要求废除奴隶制。而这一要求无异于断绝南方庄园主们的命脉,因为他们全指望奴隶们为他们创造财富。在这种情况下,奴隶制是存还是废成了南北两方争论的焦点。

1861年,主张废除奴隶制的共和党人林肯当选总统,开始着手废除奴隶制。这引起了南方庄园主们的强烈不满。

同年2月,美国南方各州宣布脱离联邦政府,建立"美利坚邦联",妄图分裂美国。两个月后,南方叛军攻占了联邦政府军驻守的萨姆特要塞,南北战争由此爆发。

战争初期,林肯总统为了维护大局,一直试图与南方反对派进行和谈。由于林肯政府一再妥协退让,再加上政府军指挥官指挥失当,政府军接连失利,导致首都华盛顿两次告急。与此同时,率军进攻叛军老巢里士满的政府军司令麦克米伦畏敌不前,贻(yí)误战机,致使政府军在南方叛军的猛烈进

攻下遭到惨败。

　　林肯总统忧心如焚。他苦思良策,希望能扭转战局。"看来必须撤换麦克米伦将军!"林肯心想,"但是让谁来代替他呢?"林肯头疼不已,在办公室里来回踱步。这时,他突然想起了一个人——米德。对,就是他!虽然他不过是个准将,但他有勇有谋,每次战斗都有突出的表现,一定能担此重任。

　　1863 年 6 月,林肯召见了米德。米德匆匆地赶了来。林肯看了看他,示意他坐下。米德却站得笔直,急于想知道总统召见他到底为了什么事。

　　"米德准将,经过认真考虑,我决定任命你为北方军总司令,接替麦克米伦将军。你有什么想法?"林肯正色说道。

　　"尊敬的总统阁下,我非常感谢您对我这样器重。不过此前我一直是麦克米伦将军的下属,现在要接替他的职务,恐怕⋯⋯"米德不无顾虑。

"你的心情我能理解，但这是战争的需要。你是个优秀的军事指挥官，这谁都知道。至于麦克米伦将军，可以说他简直太令我失望了。去年他率部停滞不前，结果被叛军司令罗伯特·李打得险些全军覆没……"林肯一边说一边来回走动了几步，显得相当激动。

米德认真地听着总统讲话，不时地点点头。林肯在沙发上坐了下来，以充满信任的口吻说："你是一位勇敢的指挥官，我相信你能胜任这个职务，请不要顾虑太多。"

"我服从总统的命令。我将竭尽所能，请总统阁下放心！"米德说完，立正敬了个军礼。

林肯满意地点点头，说："我给你8万军队。另由库奇将军指挥宾夕法尼亚州的30个民团和纽约州的19个民团，与你的军队协同作战，听你调遣。你们这次进攻的目标不是里士满，而是罗伯特·李。你们要寻找有利的战机，一举消灭他的主力部队，争取彻底击垮他。"

米德是一个勇敢沉着而又富有谋略的军人。他带着林肯总统的重托赶赴前线，接任了政府军总司令。他知道，眼下最为重要的是如何制定切实有效的作战战略，灭一灭南方叛军的嚣张气焰。为此，他与库奇将军一起进行了周密的部署。

南方叛军是维护庄园主利益的军队，称为"同盟军"。他们的司令是当时的名将罗伯特·李。罗伯特·李拥有10万军队，250门大炮。过去的两年里，他由南向北一路打过来，连战连捷，锐不可当。1863年初夏，被胜利冲昏了头脑的罗伯特·李自以为天下无敌，率领孤军一路向前，把里士满和为数不多的守军远远地抛在了后面。

这一天，罗伯特·李听说林肯任命米德为政府军总司令后，不由得哈哈大笑，说："这个米德名不见经传，在我眼里不过是一只小蚂蚁。麦克米伦那

只大黄蜂都不敢靠近我，这只小蚂蚁，只要我一伸小指头，就能把他碾个粉碎！"

罗伯特·李根本没有将米德放在眼里。他纵令士兵四处抢掠，大吃大喝。听了主帅罗伯特·李的吹嘘，南方叛军都以为战争已经到了夺取最后胜利的时刻了。其实，罗伯特·李的"同盟军"与政府的"联邦军"相比，在总人数上大大处于劣势。只是因为政府军原先的总司令麦克米伦指挥不当，南方叛军才占了一些便宜。

1863年7月1日，米德和库奇得到消息，说罗伯特·李正在向费城进军。他们俩仔细研究了当时的形势，决定在华盛顿以北约200公里的葛底斯堡小镇设下埋伏，准备在这里伏击罗伯特·李的叛军。

罗伯特·李的军队远离后方，缺乏给养。华盛顿北部的重镇费城设有政府军的军需仓库，肯定会成为罗伯特·李进攻的首要目标。而葛底斯堡是通往费城的必经之地。

一天，有个侦察兵来向米德司令报告，说在葛底斯堡附近发现了一支叛军。米德问："大约有多少人？都是什么兵种？"侦察兵说："约有三四千人，主要是步兵，另有一部分骑兵和几门大炮。"米德与库奇将军立即查看军事地图，经过讨论后发出了命令：将部队在开阔的树林中、小河边和小山丘上分布开来。

一切准备就绪之后，政府军严阵以待，等待着敌人进入伏击圈。此时，南方叛军还没有发现米德的部队，正大摇大摆地向葛底斯堡进发。突然一阵巨响响起，埋伏在山边的政府军大炮开火了。紧接着，雨点般的子弹向南方叛军射去。转眼之间，南方叛军就被打得溃不成军了，残兵败将丢下枪支，四散奔逃。

这支叛军是罗伯特·李派出的先头部队。此时，罗伯特·李的大军离葛底斯堡还有 10 公里。骄横的罗伯特·李根本没有把政府军当回事,正骑在马上悠闲地欣赏着美丽的自然风光呢。突然,前方传来了隆隆的炮声。他连忙举起望远镜观察,只见前面的山林中升起了团团硝烟。他心知这应是自己的先头部队遇上了敌人,忙督促大军加速前进。

在罗伯特·李的指挥下,南方叛军向政府军猛扑了过来。负责左翼的库奇将军命令士兵将几十门重炮对准扑过来的骑兵轰击。震耳欲聋的炮声中,一匹匹战马嘶叫着摔倒在地,后边冲上来的骑兵踩踏起了摔倒在地的叛军士兵。南方叛军阵地上血肉横飞,一片混乱,1.5 万人顷刻间死伤过半。罗伯特·李见形势不妙,急忙下令撤退。

第二天清晨,罗伯特·李率先集中火力猛轰库奇将军的阵地,然后又发起了两次冲锋,结果都被库奇击退了。政府军准备好了反击叛军的又一次进攻,却半天不见敌人的动静,只见不远处的山林中隐约有军旗飘动。库奇将军估计罗伯特·李正在组织更大规模的进攻,但是他估计错了。

罗伯特·李其实是声东击西。他把主力部队悄悄地调到政府军右翼,出其不意地向那里的政府军发动了攻击。双方随之展开了激战。政府军凭借有利地形打退了敌人的多次进攻,但自身也伤亡惨重。

战斗已经进行了两天两夜,米德几乎没怎么睡觉。他不停地听取各下属部队报告情况,连续不断地下达指示、命令,统筹着战役的全局。忙而不乱的米德还及时给林肯总统发了电报,告知政府军已在战场上取得了重大胜利。

林肯总统回电嘉奖了米德及全体将士,鼓励他们继续战斗。政府军的战士们本来就是为保卫自己的家园而战,斗志旺盛,得到总统的嘉奖后,更是大受鼓舞,勇气倍增。

罗伯特·李此前从未遇见过如此强劲的对手,傲慢、自大一下子消失得

无影无踪,开始认真面对政府军了。为扭转战局,他命令200多门大炮同时向右翼的政府军开火。密集的炮弹像冰雹一样落在政府军的阵地上,山上的石头被炮火击中,掀了起来,呼啸着向空中飞去。

这时,随着罗伯特·李一声令下,5000名骑兵像一阵狂风一样刮向了政府军。紧接着,3万多步兵也像潮水一般涌了上来。双方展开了肉搏战,喊杀声使大地都震动起来。到下午3点钟,在付出了极其沉重的代价后,南方叛军终于突破了政府军的右翼阵地。见自己的军队总算夺取了政府军的阵地,罗伯特·李感到稍稍轻松了一些。

夜幕降临了,战场上一片寂静。经过两天的激战,叛军士兵早已疲惫不堪。尽管山上蚊虫成群,但他们还是很快就睡着了。沉睡中,他们突然被一阵枪炮声惊醒了,睡眼蒙眬中只见山上到处都是火光。英勇的政府军将士已经冲上了阵地,许多叛军士兵还没弄清楚是怎么回事就永远地倒在了地上。原来,米德抓住罗伯特·李一贯轻敌的毛病,攻其不备,于半夜发动偷袭,果然一举成功。政府军将白天失去的阵地又重新夺了回来。

罗伯特·李焦躁起来。接连遭受沉重打击,对他来说是从来没有的事,而且南方叛军的给养、弹药也都急需补充了。他明白,如果战事这样僵持下去,会对自己非常不利。他必须尽快击溃米德,然后挥师费城,在那里补充军需品,并让疲惫的将士休整几天。终于,他决定孤注一掷了。

7月3日,双方展开了激战。战斗空前激烈,阵地几次易手,漫山遍野都是战马和士兵的尸体,山间小溪都被鲜血染红了……到晚上10点,南方叛军支撑不住了,趁着夜幕悄悄地撤退了。米德立即把胜利的消息报告给了林肯总统。

7月4日,林肯总统发表了讲话:"葛底斯堡成了奴隶主军队的坟墓。至7月3日晚10时,光荣的北方军团取得了辉煌的胜利。"

7月4日夜间,大雨滂沱(pāng tuó),罗伯特·李率残部连夜冒雨渡过波托马克河,仓皇逃窜。米德与库奇令政府军紧紧追击,又歼灭了一批敌人。至此,葛底斯堡战役最终以政府军取得决定性胜利宣告结束。

智慧点灯

本则故事依据有关美国内战的史料,并参考电影《葛底斯堡战役》改编而成。葛底斯堡战役是美国内战中规模最大的一次战斗,被视为美国内战的转折点。此战之后,南方叛军失去了战略主动权,再也未能向北进军,而政府军则转入反攻。

4个月后,林肯总统在葛底斯堡战场国家烈士公墓落成典礼上说:"我们要从这些光荣的死者身上汲取更多的献身精神,来完成他们曾为之竭尽全部忠诚的事业;我们要在这里下定最大的决心,使这些死者不致白白牺牲。"葛底斯堡战役的胜利,更加坚定了美国人民反对分裂、维护统一的信心。

凡尔登 "绞肉机"

    1916 年,第一次世界大战进入第二个年头,英法联军与德军的战争进入胶着、对峙的状态。为了减轻东线战场的压力,尽早夺取胜利,德国统帅部决定把战略重点西移。德军总参谋长法金汉将打击目标定在了法国境内著名的要塞凡尔登。

    凡尔登是英法联军战线的突出部分,它像一颗伸出的利牙,对深入法国北部的德军侧翼构成了严重的威胁。德、法曾在这里多次交手,但德军都未能夺取要塞。如果德军这次能一举攻下凡尔登,必将沉重地打击法军的士气。同时,占领了凡尔登,德军也就打通了迈向巴黎的通道,而占领了巴黎,法国就不攻自灭,剩下的英、俄两军就不足为虑了。

    从 1916 年 1 月开始,法金汉就悄悄地集结部队,准备攻占凡尔登。同时,德国为了迷惑英、法军队,明目张胆地向另一军事要塞香贝尼增兵,做出要在香贝尼发动攻势的假象。

    法军总司令霞飞果然上当了。自 1914 年德军无力攻克凡尔登而转移进攻方向之后,法国人就想当然地认为凡尔登要塞已经过时了。霞飞在

1915年即已下令停止加固要塞。而此时德军向香贝尼移师的动作引起了霞飞的高度警惕。他认为德军会向香贝尼进攻,然后从那里进军巴黎。于是,他开始大规模地向香贝尼增兵。

然而,德国人却在悄悄地往凡尔登集结兵力。随着德国人的动作越来越大,英法联军终于意识到了德军的真正意图。这下霞飞总司令慌了神,忙下令火速向凡尔登增兵。但到2月21日,法军仅仅有两个师赶到了凡尔登,而这时德军已经开始向凡尔登发起进攻了。

2月21日早晨,德军发动了猛烈进攻。伴随着一串信号弹在高空爆炸,近千门大炮一齐怒吼起来,把上万枚炮弹铺天盖地地倾泻在凡尔登的野战防御阵地上。顷刻之间,法军阵地变成了一片火海。紧接着,德军又用攻城榴弹炮把一颗颗重磅炮弹射向要塞最坚固的第四道永备工事上。在震耳欲聋的爆炸声中,法军整段整段的壕堑(qiàn)顷刻间被夷为平地。

经过12小时的狂轰滥炸之后,德军又用小口径的高速炮以步枪的速度发射霰(xiàn)弹,疯狂地对惊惶失措、阵脚大乱的法军进行扫射,并用喷火器把法军前沿阵地变成了一片火海。

经过狂轰滥炸和疯狂扫射之后,凡尔登要塞附近狭小的三角地带的战壕完全被摧毁。森林被烧光了,山头也被大炮削平了,法军完全暴露出来,战场笼罩在一片浓烟烈火之中。炮火刚刚停息,随着一阵阵呐喊声,德军6个步兵师从宽达10公里的战线上同时冲向了法军。

由于德军攻势猛烈,再加上天气极其寒冷,法军的士气十分低落。法国从阿尔及利亚征集的轻步兵都来自炎热地带,此时置身于零下15℃的环境中,他们早已变得脆弱不堪了。2月24日清晨,一营法国轻步兵都被冻僵了,当时担任指挥官的少校也冻得病倒了。一名上尉担任临时指挥,但是士兵都不服从他的命令,纷纷逃跑。最后因为一小队德军在他们背后开火,他

们走投无路了，才恢复了士气。经过两天激战，法军有一万多人被德军俘虏，凡尔登要塞前沿的防御阵地基本上都已被德军占领了。

法军在凡尔登失利的消息很快传到了法军总司令部。霞飞总司令大为吃惊，赶紧命令参谋总长立即赶赴凡尔登，不惜一切代价死守阵地，等待后续部队的增援。随后，他委任贝当将军为凡尔登地区司令官，并四处集结兵力，准备增援。

贝当来到凡尔登后，首先巡视了一下整个防御体系，感到情况已非常危急。他意识到，凡尔登正面临着被占领的危险。

这时，要塞东北部的都慕炮台被德军占领了。这个炮台原有一个轻步兵师固守。经过十几万发炮弹的狂轰滥炸，德军一支只有数十人的巡逻队未发一弹就占领了炮台，因为炮台上的法军将士已经全部阵亡了。

得到这一消息后，贝当越发感觉情况不妙，当即在前线划定了一条督战线，严令士兵顶住德军的进攻，有谁胆敢退过此线，格杀毋论。紧接着，他主持召开了前线军事会议，讨论怎样保证后方援军和军火物资的快速到达。

贝当说道："当前情况十分危急，我已和霞飞总司令取得联系，请他火速派大部队增援，在一星期内至少调集 20 万军队。只有这样才能保证凡尔登不落入德国人之手。诸位讨论一下，看哪条交通线可以保证这么多人员和物资的运送？"

"除了通向西南的一条巴勒杜克—凡尔登公路还没有被彻底破坏，其他公路已全部被德国人的大炮切断了。"负责后勤的一名军官皱着眉头说。

"公路的宽度有多少？"贝当忙问。

"6 米。"

"路面怎样？能经得起大量载重车通行吗？"

"路面不太好，至于能不能经得起，那要看有多少车辆通行了。"

贝当粗略计算了一下，说："一个星期内要运输这么多兵力和军火物资过来,需要6千辆汽车昼夜行驶才来得及。"

指挥官们听了,面面相觑(qù)。那名负责后勤的军官为难地说:"这恐怕不行……"

贝当斩钉截铁地下了命令:"没有不行!立即组织一支抢修队,在沿途民众的协助下,铺砌和拓宽公路路面,务必保证车辆安全通行。凡尔登战役的成败在此一举!"接着,他就令这名军官前去现场督促修路,要求他保证公路在27日开始通车运行。

经过几千名军民两天两夜的不懈努力,道路终于整修好了。上千辆汽车顺利地通过,源源不断地把援军和军火物资运到了凡尔登要塞。后来,这条公路由于出色地完成了凡尔登战役的战略运输任务而被法国人称为"圣路"。

这一来,敌对双方的军事力量逐步趋向平衡了。德军虽然第一次进攻比较顺利,但是,随着法军大量援军和大炮的到来,德军已寸步难行了。

法金汉做梦也想不到,短短一周时间,法军竟会有这么多援军赶来。他既感到吃惊,又暗自高兴,因为战事的发展与他事先预料的一样。他的脸上露出了狰狞(zhēng níng)的笑容,说:"好吧,我要让法国人在这里把鲜血流尽!"他重新部署了参战部队,准备发动更大规模的进攻。

法军的贝当将军此时也在紧张地进行部署。他命令增援部队马上开赴前线,修补战壕,安放大炮,准备迎击德军。

3月5日,大规模的战斗打响了。德国步兵在猛烈的炮火的掩护下,从30公里的战线上一齐向法军阵地发起了进攻。贝当将军命令所有的法国大炮一齐开火,对德军还以颜色。20多万法军动用了各种炮火,向德军射击,战斗进入了白热化。

经过一天的激战,德军死伤惨重,不得不退了回去。法金汉改变计划,命令德军停止全面进攻,集中优势兵力突击马斯河左岸,并由闪电般的攻击改为稳步进攻。

到4月份,经过70多个昼夜的苦战,德军仍未能突破法军防线。到7月份时,双方来回拉锯,相持不下,死伤都非常惨重。100多天过去了,德军仅前进了七八公里。

不久,德国再次调整了战略,撤掉了法金汉的职务,改由皇太子威廉亲征。德军为求胜利,首次在战场上使用了毒气弹。在贝当将军的指挥下,法军浴血奋战,将德军的攻势一次次地阻止在要塞前。

1916年10月24日,法军发起大规模反攻,于11月初收复杜奥蒙堡和沃堡等地。12月份,法军再次发动反攻,基本收复了被德军攻占的阵地。德军已无力再战,凡尔登战役至此结束。

凡尔登战役中,德法双方共投入了近200万兵力,伤亡人数达70万,因此被称为"凡尔登绞肉机"。这一战耗尽了德军的元气。从此,德、奥阵营江河日下,最终在1918年战败投降,第一次世界大战宣告结束。

智 慧 点 灯

本则故事改编自相关史料。凡尔登战役是第一次世界大战的决定性战役和转折点。在这场战役中,德军未能实现夺取凡尔登、包抄巴黎南路的计划,在耗尽兵力后再也找不到出路,最终战败投降。

凡尔登战役是典型的阵地战、消耗战。法、德双方投入的军队人数众多,而且损失都十分惨重,因此又有"凡尔登绞肉机"之称。这次战役法军采用野战工事与永备工事相结合的防御法,取得了巨大的成功。这成为第一次世界大战后欧洲多数国家时兴在边境地带修筑防御工事的重要根据。

齐默尔曼电报

  第一次世界大战持续到 1917 年 1 月时，交战双方都已筋疲力尽，但却都无意罢战言和。双方都把希望寄托在大洋彼岸的美国身上。但是，从这场大战刚一开始，美国就宣布中立。众所周知，美国的工业实力在 19 世纪末 20 世纪初就已跃居世界首位。在交战双方势均力敌、战局呈胶着状态的情况下，不管美国加入哪一方作战，都将对战局产生决定性的影响。

  以英、法为首的协约国集团竭力想把美国拉入协约国一方。而对德国来说，如果不能与美国结盟，至少也要使美国置身事外，保持中立。而为了击败协约国，德国又必须发动"无限制潜艇战"（德国海军在一战期间采用的一种潜艇作战方法，即德国潜艇可以事先不发出警告而击沉任何一艘开往英国海域的商船），以切断协约国的补给线。而"无限制潜艇战"无疑会损害包括美国在内的中立国家的利益，最终导致美国的参战。为此，德国当局陷入了两难境地。

  德国外交部部长阿图尔·冯·齐默尔曼设想，如果美国一定要对德国宣战,那么最好的应对办法是给美国"找点事情做",使它忙于应付世界其他地区的事务,而无暇顾及欧洲地区。如果能唆使墨西哥进攻美国,那无异于在美国的后院点火。届时,美国将无暇他顾。那么,德国为什么看中了墨西哥了呢?原来,1846年美墨战争以后,墨西哥被迫割让给美国大片领土,美墨关系自那之后就一直非常紧张。如果诱以重利,墨西哥肯定是会向美国宣战的。齐默尔曼的设想看上去似乎无懈可击。

1917年1月16日,齐默尔曼给德国驻墨西哥公使发了一封电报。电报中说:

我们计划于2月1日开始实施无限制潜艇战。与此同时,我们将竭力使美国保持中立。如果我们不能做到这一点,就建议在下列基础上同墨西哥联合:(1)协同作战;(2)共同缔结和平……

齐默尔曼在电报中还许诺,德国除了给墨西哥提供巨额的财政援助,还将在战争胜利之日,把美国的得克萨斯州、新墨西哥州和亚利桑那州割给墨西哥。这就是闻名世界的"齐默尔曼电报"。

战争期间,交战双方有一点儿风吹草动都会引起对方的极大关注。像齐默尔曼这样的德国高官,其一举一动自然会成为协约国方面关注的重点。齐默尔曼的密电发出之后,英国军方很快就截获了这份电报。不过这份电报是用密电码发出的,而当时的英国军方还没有专门的破译机构,所以也就无从得知这份电报的内容。不久,英国海军的无线电台又截获了一些德国海军的电报。谍报人员把这些电报一起交给了对密码电报非常感兴趣的海军训练局局长。局长找来四位精通德语的同事,在海军部密码破译室加班加点地工作,试图破译这些电报。他们借助俄国人1914年9月从搁浅的德国"马格德堡号"巡洋舰上缴获的海军密码本,破译了部分电文。此后,他们

将工作范围扩大到破译德国的外交密码上。随着破译的深入,他们的工作的重要性得到了英国军界高官的高度认可。到1917年底,这个最初的四人破译小组受命扩大组建为一个卓有成效的专门的破译机构。

随着时间的推移和研究的深入,英国的密码破译专家们终于破译了德国外交部部长齐默尔曼的密电。当他们把破译出来的齐默尔曼照会墨西哥政府的电报上交给英国海军情报处处长威廉·布林克·霍尔上将时,霍尔上将敏锐地意识到英国掌握了一份极具价值的材料。他立即通过英国外交部将这份记录着肮脏交易的电报转交给了美国人。美国方面很快就通过新闻管理机构将它发布到了电视、电台、报纸、杂志等各种媒体上。

1918年3月1日,全美各大报纸用粗体大字登载了这封电报,举国上下沸反盈天,威尔逊总统也大为震惊。很快,美国众议院以403票对13票的绝对优势通过了武装商船的议案。这意味着德、美之间的舰船以后将有直接交火的可能。不过,美国参议院这时对电报本身的真伪尚持怀疑态度。

出乎人们意料的是,齐默尔曼在舆论的压力之下竟承认了电报是真实的。在一次新闻发布会上,他绅士般地坦承:"我无法否认它,因为它是真的。"这样一来,美国参议院完全消除了疑虑,将对德宣战提上了议事日程。

齐默尔曼电报煽起了美国人的参战情绪。过去,美国人因远离战场,对战局并不关心。现在他们突然发现,德国人即将在美国领土上燃起战火,一场原本与自己相隔很远的战争似乎在一瞬间变成了自己的战争。威尔逊总统表示,美国决定接受这种敌意的挑战。没过几天,德国潜艇在大西洋击沉了英国邮轮"卢西塔尼亚"号,导致数百位美国人遇难。这一下美国舆论哗然,民众与军队都群情激奋。在这种情况下,美国国会很快就通过了参战决议,宣布与德国处于战争状态。

与齐默尔曼的预计相反,墨西哥并没有向美国宣战。不久,几十万美国生力军开赴欧洲战场,为协约国最后赢取胜利提供了宝贵的支援。

智 慧 点 灯

本则故事根据相关史料改编而成,讲述了谍战史上一个重要的历史事件。在协约国与同盟国相持不下的情况下,齐默尔曼本想通过墨西哥来牵制尚在观望的美国,结果却适得其反,由他发出的电报被英国破译,最终刺激美国对德宣战,加入了战争。

美国的参战,壮大了协约国的力量,大大地缩短了一战的进程。从这个意义上讲,英国军方破译人员斩获了世界谍战史上最伟大的无线电破译成绩。

伦敦上空的鹰

在纳粹德国空军总司令赫尔曼·戈林的私人档案中有这样一幅带有战场背景的宣传照片：戈林站在法国加莱海岸的一座高山顶上向对岸的英国望去，一批批德国轰炸机排着整齐的队形，遮天蔽日地向英吉利海峡对岸猛扑过去。这张照片拍摄于1940年9月7日下午。几天之后，德国空军就开始了对伦敦的大规模空袭。下达空袭命令的，正是这位空军总司令戈林。那么，戈林为什么要出动上千架飞机空袭伦敦呢？

原来，希特勒在打败法国后，便拟定了入侵英国的"海狮计划"。"海狮计划"总的战略意图是：在从拉姆斯格特到怀特岛以西的广阔战线上，发动一场登陆战，派25到40个步兵师进入英国本土，一举占领英国全境。当时，德军陆军、海军节节胜利，在国内的威望空前高涨。戈林作为希特勒的心腹之一，帝国空军的最高指挥官，看到陆军、海军为"伟大的元首"取得了这么辉煌的战果，不禁眼红了起来。他找到希特勒，信誓旦旦地说："元首，为了顺利推进海狮行动，我们必须从空中和海上消灭英国的军队，以扫除我军登陆英国的障碍。我认为，有了您天才的指挥，单凭帝国英勇的空军就能使英国屈服。我向您保证,四天之内就能摧毁英国在南海岸的防御,两至四周就可以完全摧毁英国的皇家空军。"希特勒也认为,德国只有取得制空权,才能保证渡海作战顺利进行。因此,他答应了戈林的请战,并对他大加赞赏。戈林受到表扬后,热血沸腾,暗想:"属于我戈林的时刻到来了!"回到空军司令部,戈林立即召集空军各级将领开会,制订了一个在他看来天衣无缝的空军作战计划。

1940年9月7日,戈林决定集中空军兵力大规模空袭伦敦,一举消灭英国的皇家空军。这天下午,在军事会议上,他摊开一张巨大的伦敦地图,志得意满地对部下说:"伦敦的街道、房屋相当拥挤,一颗炸弹就能炸毁一片,更不用说那些英国佬了。如果炸弹没有效果,那就用燃烧弹,让我们的空军在伦敦上空播下火种,把伦敦烧成一片火海!"说完,他用力地挥了挥手,似乎伦敦就在眼前,只要他一伸手,就能拿得到。

当天晚上7时,由625架轰炸机、648架战斗机和驱逐机组成的声势浩大的德国战机群从不同航线、不同高度穿越英吉利海峡,直扑伦敦而去。英国皇家空军通过雷达监测到了德军飞机的动向。他们凭经验判断敌机还会像以前那样,前去袭击英军战斗机基地,就主动让出了飞往伦敦的通道,好来个诱敌深入。但是,这一回他们上了大当。

德军飞机进入英国境内后,马上改变了攻击目标。当英国飞行员发觉事态不对时,已经来不及升空拦截了。第一批德军飞机对伦敦的泰晤士港、人口稠密的居民区、工厂等目标准确地投下了高爆炸弹。伦敦市区顿时浓烟滚滚,火光冲天。在尖厉的空袭警报声中,英国空军23个飞行中队全都怒吼着向德国轰炸机群直冲了过去。双方在伦敦上空展开了激战。不过,由于英国战机来晚了一步,德国轰炸机在短短一个小时内,就成功地将300多吨高爆炸弹、燃烧弹泻入了伦敦。几乎整个伦敦市都成了一片火海。大大小小的工业设

施、交通枢纽、电力网络、平民住宅相继被毁。爆炸声、坍塌声、呼救声、惨叫声以及警车、消防车的呼啸声伴着黑烟直冲云霄。整个大地都在颤抖,整个天空都在呻吟!据战后不完全统计,那一晚仅轰炸引起的大火就达1300多处。然而,纳粹的残忍并没有使英国人民屈服。在这个恐怖的夜晚,成千上万名志愿者跟着消防车一起,到处灭火、救治伤员,争分夺秒地抢救财产,有秩序地疏散居民进入地下防空洞,从而把损失降到了最低。

当太阳再次在伦敦上空升起的时候,由于硝烟浓厚,伦敦依旧被一片片的黑雾笼罩着。阳光无法透过这层烟幕,更无法抹去伦敦市民对恐怖的可怕记忆。这次空袭,从军事角度来讲,德国获得了巨大的成功。

空袭成功的消息传到了柏林,兴奋不已的戈林立即前去觐(jìn)见希特勒,向他汇报了相关情况。希特勒非常高兴,鼓励戈林说:"元帅,放开手干吧,再来几次,把伦敦彻底摧毁!"戈林谄媚道:"所有胜利都归于伟大的元首!"

9月9日下午5时,德国空军200余架轰炸机在强大的护航机群的掩护下,第二次前去轰炸伦敦。不过这一回它们就没有那么幸运了。英国皇家空军早就做好了复仇准备,正严阵以待。德国机群刚刚飞过英吉利海峡,英国的"喷火"式和"旋风"式飞机编队就奉命立即起飞,迎击敌人。当德军第一批被护航战斗机簇拥着的轰炸机编队飞入伦敦东部上空时,已在空中待战多时的两个英军飞行中队马上猛扑了过去。"旋风"式战斗机中队专门袭击敌人的轰炸机,"喷火"式战斗机中队则全力拦截敌人的战斗机。双方的飞机在天空中你追我赶,展开了一场殊死搏斗,蔚蓝的天空中划过一道道白色的飞行尾迹。这一次,尽管德军最后还是进行了轰炸,但他们也得到了有力的警告:再也别想在不受攻击的情况下到达伦敦上空了。其后几天,德军战机又不惜代价地继续闯入伦敦上空,一波又一波,像吸血蝙蝠一样,投下了一颗又一颗炸弹和燃烧弹。由于英国皇家空军在飞机数量上少于德国空军,因此每当遇到空袭,皇家空军各中队都要全体出动。三番五次地折腾下来,飞行员们疲于应付,都感觉支撑不下去了。

在这生死存亡的关键时刻,英国皇家空军司令部决定改变之前采用的拦截战术,转而采用各中队联合起来的集群式攻击战略。"喷火"式和"旋风"式战斗机不再以零星分散的中队投入战斗,而是统一组成一个或数个大的机群。与此同时,伦敦的民防体系也开始发挥作用,5万多名市民自愿参加了对空监视工作。他们携带着望远镜及手提电话日夜巡逻,不知疲倦地对空中进行严密的监视,及时发出空袭警报,为减轻空袭造成的损失作出了不可磨灭的贡献。

9月15日,德国空军再次出动。参与此次空袭的第2航空队第3轰炸航空团首当其冲,在坎特伯雷上空遭到了英国战斗机的攻击。这是英国空军第72、第92中队联合组成的"喷火"式战斗机群。这两个中队作战经验非常丰富,曾在英国北部及敦刻尔克的空战中建立过功勋。这两个中队的战斗机占据了有利位置后,都猛地从前方直接冲入德军轰炸机编队。飞行员们猛按射击按钮,将自己的满腔怒火化成复仇的火焰,向德军轰炸机群铺天盖地地喷去……德军轰炸机接二连三地冒出浓烟,像无头的苍蝇一样坠入了大海。

空战进行得正激烈时,英国首相丘吉尔来到了负责指挥空战的帕克将军的司令部。他两眼紧紧地盯着随时都在发生变化的作战形势图,神情有些紧张。因为他知道,这场在空中进行的殊死搏斗对英国来说至关重要。

时间一分一秒地过去了,在英国空军的拼死抵抗下,德军飞机终于狼狈逃窜了。这之后,德国空军再也不敢正面与英国空军进行拼杀了,因为它再也损失不起了。这一天,德军被击落飞机185架,而英国则仅仅损失了10来架。丘吉尔得到捷报后,激动地说:"这一天是世界空战史上前所未有的、

最为激烈的一天!"后来,他把 9 月 15 日定为"不列颠空战节",以表达对这次胜利的祝贺。

当德军还沉浸在失利的沮丧之中时,英国皇家空军已借着胜利的契机发起了反击。9 月 16 日和 17 日,英军持续猛烈地轰击了准备向英国发动侵略的德军舰艇,使德国海军遭受重创。仅在敦刻尔克的一个停泊港,就有 80 多艘德国驳船被击沉或击毁。

英国空军如此之快地采取报复行动,令德国惊恐不已。曾经不可一世的戈林在希特勒面前颜面尽失。不久,戈林下令:从 10 月 1 日开始,不再对伦敦进行大规模空袭。伦敦空战就此以英国皇家空军的胜利而告终。据战后的统计数据显示,从这一年 7 月 10 日至 11 月中旬,德国空军被击落飞机 2000 余架,而英国皇家空军只损失了 800 余架飞机。

智 慧 点 灯

本则故事根据相关史料,并参考同名电影改编而成,讲述了伦敦空战的全过程。在这场空战中,英国损失战机近千架,被炸死、炸伤 14 万余人,被毁房屋达 100 多万幢,损失极其惨重。但英勇善战、不畏强敌的英国空军飞行员也给予纳粹德国以沉重的打击,不但击落了大量敌机,还彻底粉碎了纳粹德国企图进犯英国的"海狮计划",使二战开始以来在欧洲战场战无不胜的德国军队第一次尝到了失败的滋味。

英国取得伦敦空战的胜利后,丘吉尔首相给予了参战的皇家空军飞行员以极高的评价:"在战争史上,还从来不曾有如此多的人(英国人民)从如此少的人(皇家空军飞行员)那里得到如此大的好处。"

奇袭珍珠港

1941 年 12 月 7 日清晨,天空万里无云,太平洋上水波粼粼,整个夏威夷群岛沉浸在一片安静、祥和的气氛中。美国海军基地珍珠港内,7 艘大型战列舰并排停靠在福特岛东侧,只有旗舰"宾夕法尼亚"号独自停靠在船厂的船坞里。在军港内,还停泊着 7 艘巡洋舰、20 艘驱逐舰和数十艘各种小型舰艇。整个美国太平洋舰队除了 3 艘航空母舰和几艘巡洋舰、驱逐舰例行出海之外,其余的悉数在此。

因为这一天是星期天,大多数美国官兵正高兴地吃着早餐,准备去岸上度过一个愉快的周末;另有一些水兵正在举行升旗仪式,收音机里播放着檀香山电台的音乐节目。谁也没有想到,在这看似一切平静如昔的背后,一场巨大的灾难正在迅速向他们逼近。

在美军珍珠港雷达监控室里,两个值班的新兵在雷达监视器前百无聊赖地摆弄着仪器。突然,荧屏上显示东北方向 200 多公里外有一群飞机正朝瓦胡岛飞来。他们立即拿起电话把情况报告给了舰队司令部。

"别神经过敏,那是我们自己的飞机。"舰队司令部的值班军官嘲笑两个

新兵说。原来,值班军官曾接到通知,说今天早晨美国空军将有一队 B–17 飞机从美国本土飞来参加即将举行的一场演习。又叮嘱了两个新兵一番"不要神经过敏"后,他就放下话筒,打开收音机,悠然自得地欣赏起音乐来了。

此时,从 6 艘日本航空母舰上起飞的 183 架飞机组成了庞大的机群,正向珍珠港疾飞而来。日军机群由鱼雷轰炸机、俯冲轰炸机、水平轰炸机和制空战斗机组成,驾机者都是日本一流的飞行员。他们在日本鹿尔岛海军基地进行了长达数月的刻苦训练和模拟攻击,就是为了顺利完成这次偷袭任务。

日军机群的指挥官渊田美津雄中佐是日本江田岛海军学校毕业的高材生。他沉着果敢,富有实战经验和指挥才能。此刻,他指挥的是 49 架水平轰炸机、40 架鱼雷轰炸机、51 架俯冲轰炸机和 43 架制空战斗机。坐在战斗机的机舱里,渊田透过玻璃窗往下观看,只见到处都是厚厚的云层,根本看不到海面。珍珠港上空会是什么样呢?他为一时难以弄清珍珠港的情况而感到焦虑。就在这时,他戴的耳机中传来了檀香山电台播放的夏威夷音乐,接着又传来了檀香山地区的气象预报:"晴,天空多云,云层较高,能见度良好……"

"太好了!"听到这里,渊田不禁高兴地叫了出来。

飞机呼啸着穿过云层,透过云隙,飞快地抵达珍珠港上空。渊田睁大了眼睛,仔细地观察着地面和空中的情况,生怕漏掉一点黑影。可是,他根本看不到敌机的影子,甚至连一点美军有所防备的迹象都看不出。

"开始攻击!"渊田果断地下达了命令。接着,他猛地一推操纵杆,第一个驾着飞机俯冲了下去。

日本机群随之呼啸而下,机关炮喷吐着火焰,炸弹雨点般地落了下去。

"轰隆隆……"

随着一阵阵巨大的爆炸声,美军珍珠港基地的机场腾起滚滚烟火,港湾内炸弹爆炸引发的水柱接二连三地冲天而起。

面对这突如其来的一幕,毫无防备的美军官兵都惊呆了。

"空袭!空袭!"直到看见自己的舰艇被炮弹击中,美军太平洋舰队司令部的军官们才醒过神来——这不是"演习",而是实实在在的轰炸。

顷刻间,整个珍珠港笼罩在了硝烟战火之中。渊田沉着而难掩兴奋地发出了命令:"向总部发报:我机群已奇袭成功。奇袭成功的密码是'虎'字!"于是,"虎、虎、虎"的电波穿透太平洋上空的云层,传到了三千多海里之外的东京。与此同时,太平洋战争的序幕正式拉开了。

美军太平洋舰队毫无防备,此番在日军的轰炸中损失惨重。停靠在最北面的"内华达"号最先中弹,它紧急驶离泊位,冒着弹雨驶向珍珠港出口,最终惊险逃生。"西弗吉尼亚"号和"俄克拉何马"号遭到了日军的集中攻

击。"西弗吉尼亚"号先后被 6 颗鱼雷击中，左舷被撕开一道长 30 多米、宽约 5 米的大口子，迅速下沉；"俄克拉何马"号被鱼雷命中三处，半截船身沉在海里。"田纳西"号和"马里兰"号也遭到了狂轰滥炸，伤痕累累。就连"犹他"号靶船都未能幸免，它在连中 6 颗鱼雷后翻入了大海。

轰炸结束后，渊田开始驾机视察战场。只见到处浓烟滚滚，珍珠港成了一座烈火地狱。几十架日军战斗机仍在向地面和机场疯狂扫射，一些鱼雷轰炸机还在到处寻找目标。

日本战机的第一波攻击持续了一个小时。在这轮空袭中，日本只损失了 9 架飞机。紧接着，第二波攻击又开始了。168 架日本飞机飞抵珍珠港上空，它们冒着美军越来越猛烈的炮火，冲破硝烟，再度向地面和水上目标展开狂轰滥炸。一队俯冲轰炸机发现了独自停泊在船坞中的"宾夕法尼亚"号旗舰，便集中火力轰炸它。很快，它的甲板上就燃起了熊熊大火……

第二波攻击也持续了大约一个小时。这次攻击为日军进一步扩大了战果。但在美军猛烈的炮火轰击下，日军也损失了 20 余架飞机。整个攻击结束后，渊田驾机绕珍珠港飞了一圈，拍下了许多照片。

在两个多小时的空袭中，日本人完全控制了珍珠港的上空，几百架飞机疯狂地轰炸、扫射，给美军以重创。仓促应战的美军损失惨重：太平洋舰队共有 8 艘战列舰，竟有 4 艘被击沉，另外 4 艘除一艘搁浅外，其余三艘也都遭受重创；另有 6 艘巡洋舰和 3 艘驱逐舰被击伤，188 架飞机被击毁，数千官兵伤亡。而日本方面仅仅损失了 29 架飞机。

那么，日本为什么要费尽心机去奇袭珍珠港呢？

原来，第二次世界大战爆发以后，日本原本打算迅速结束侵华战争，从陆路长驱直入，进攻东南亚。由于中国军民奋起抵抗，日本的这一如意算盘落空了。于是，日本就在对华作战的同时，迫不及待地由海路出兵，企图侵占东南亚各国。究其原因,这是因为日本是个资源匮乏的岛国,要想维持战争机器的运转,就必须控制东南亚的石油和其他战略资源。而美国也早就对东南亚的资源垂涎三尺了。看到日本的胃口越来越大,美国十分恼火,多次要求日本立即从东南亚撤军。日本非但不肯,还和德国、意大利结盟,摆出了一副要与美国对抗到底的架势。于是,两国间一边谈判,一边各自积极备战,战争处于一触即发的状态。

日本海军联合舰队司令山本五十六考虑到,如果继续向东南亚增兵,美国决不会坐视不管,与其在海上同美国遭遇,还不如先发制人,一举歼灭美军的太平洋舰队,把整个太平洋地区控制在自己手中,这样就可以无所顾忌地进攻东南亚了。于是,一个大胆的计划在他脑海中开始酝酿,并最终成形。经过精确的计算和有针对性的演练,1941 年 11 月 26 日,日军海军中将南云忠一率领由 6 艘航空母舰组成的大型舰队驶离了日本。10 天后,日本战机就悍然对美军珍珠港基地发动了袭击。

智 慧 点 灯

本则故事根据相关史料及美国电影《珍珠港》(2001 年)改编而成,讲述了日军奇袭珍珠港的整个过程。

日军偷袭珍珠港,宣告了太平洋战争全面爆发。偷袭发生后不久,美国电台就向全国作了广播:"珍珠港遭到日本卑鄙的偷袭!"罗斯福总统发表讲话说:"必须记住这个耻辱的日子!"12 月 8 日,美国向日本宣战。接着,澳大利亚、荷兰等 20 多个国家也对日宣战。随后,德、意对美宣战,第二次世界大战的范围更加扩大了。这次袭击将实力强大的美国卷入了第二次世界大战,客观上加速了轴心国的覆灭。

斯大林格勒大血战

在俄罗斯的伏尔加格勒(苏联时期称斯大林格勒)市区的制高点马马耶夫山冈上,伫立着一座名为"俄罗斯母亲"的雕像。这座雕像是为了纪念当年的一场极为重要的战事——斯大林格勒战役而建造的。在这场战役中,仅仅为了争夺马马耶夫高地,苏德两军就有 30 万人在此丧生。尽管时间已经过去了半个多世纪,但每当看到"俄罗斯母亲",人们就会想起那场悲壮的大战。

1942 年的春天,苏联的天空中弥漫着漫天的硝烟,长达一年的战争使得这个原本美丽富饶的国家变得满目疮痍。自 1941 年 6 月纳粹德国背信弃义,向苏联发动突然袭击以来,两国间的战事不断升级。在短短的一年时间里,德军占领了苏联的大半领土,战争进入了白热化状态。这时,德军在进攻苏联首都莫斯科失利后,将作战的重心转移到了苏联南部战线另一重要城市——斯大林格勒。

纳粹德国元首希特勒对这一战役非常重视。他甚至将这一战役的胜败与德军的命运联系了起来。斯大林格勒是苏联南方重要的工业中心和南北交通的枢纽,周边地区粮食、石油资源丰富,是战争物资的重要补给站,战略地位十分重要。为攻占斯大林格勒,德军不惜投入150万兵力,分成A、B两个集团军作战。希特勒给德军下达了死命令:要不惜一切代价攻克斯大林格勒。而另一方面,对于苏联来说,丢掉了斯大林格勒就意味着输掉整场战争,所以必须誓死抵抗,守住这座关乎民族危亡的城市。就这样,为了抢夺这一军事战略要地,双方展开了你死我活的斗争。

从1942年5月开始,德军相继攻陷了斯大林格勒周边的一些地区。10月,德军步步紧逼,占领了斯大林格勒的大部分城区。对德国人来说,战争形势正朝着他们预期的方向发展,因为他们已经把苏联军队分割击破,挤进了狭小的空间,苏军已无法集结兵力进行有力的反击了。只要德军利用飞机和坦克轮番进行轰炸,这座城市就会成为一片废墟,苏联军队将无处遁形,只能乖乖地举手投降。但希特勒和德军没有料到的是,被激怒的苏联士兵和民众联合起来,以斯大林格勒城区为战场,进行了最顽强的抵抗。人海战术在斯大林格勒的战场上发挥了重要作用,同时也给这一战役蒙上了一层无比悲壮的色彩。希特勒遇到了发动二战以来最令他头痛、最难啃的一块骨头。

斯大林格勒保卫战之所以惨烈无比,惊心动魄,主要在于德军与苏军展开了近距离、血淋淋的巷战。为了争夺这座城市,苏联派出了62集团军和64集团军,纳粹德国投入了第6集团军和坦克第4集团军。这是一场真正意义上的巷战,62集团军的司令部就设在城南废墟中的一座地堡里面,最近的战斗发生在离司令部仅200米远的地方。战事每天都在发生,双方为了每一米、每一寸的土地而拼死相争。苏军依托市内复杂的地形和众多的建筑,同敌人展开殊死搏斗。一层楼、一间房、一座水塔,甚至一堵墙、一堆瓦砾,都能引发激烈的争夺战。两军近在咫尺,喊杀声、枪声、炮声彻夜不

息。这里已没有白天，没有黑夜，没有休息，没有间歇……斯大林格勒简直成了双方的噩(è)梦。

为了尽早攻占斯大林格勒，德军出动飞机和坦克对苏军狂轰滥炸。他们发动了上万次的空袭和地面突击，使斯大林格勒在短短的几天内就变成了一片火海。气急败坏的德军在城内展开恐怖袭击，进行了清城大屠杀。双方战士都杀红了眼，在他们眼中，斯大林格勒已经不再是一座城市，而是活生生的人间地狱。这里每天都有大批的人在战火中死去。往往是德军付出极大代价攻下了一处断壁残垣，转眼间又被苏军拼死拼活地重新夺回。整个斯大林格勒烈焰升腾，血肉横飞。顽强的苏军拼死抵抗，子弹打完了，就冲上前去进行白刃格斗；坦克开上来了，就在身上绑上手榴弹，冲过去与之同归于尽。在苏军这样的顽强抵抗下，德军死伤惨重，寸步难行。

为了打败德国法西斯，苏联人民做出了重大的牺牲，谱写了一曲可歌可

泣的爱国主义精神赞歌。在这场保卫战中,有7.5万名普通的俄罗斯姑娘英勇地挺身而出,作为高射炮手、通信兵、卫生员和护士投入战斗。她们不顾个人安危,勇敢地向惨无人道的德国法西斯宣战。她们的鲜血染红了斯大林格勒的每一寸土地。当时,有一名护士为了掩护伤员,端起机枪消灭了30多个德军,到最后她自己也受了重伤,奄奄一息……

在这场旷日持久的战斗中,苏联军民空前团结,市民和苏军密切配合,共同奋战。拖拉机厂的工人们一边反击敌人,一边在弹片横飞的车间里坚持生产。在双方激战的9月份,他们不眠不休,加班加点地生产出了1200辆坦克和150辆牵引车。在苏联士兵与德军进行巷战的同时,他们就在一旁冒着生命危险修复损坏的坦克和其他武器。坦克由工厂的工人志愿兵驾驶,往往从兵工厂的生产线上一下来,就直接开到了战斗前线,甚至都来不及涂上油漆和安装射击瞄准镜……大战期间的斯大林格勒市民,无论男女老少,人人都是战士,处处都是战场。希特勒的军队陷入了人民战争的汪洋大海中,无法自拔。从9月13日到26日,德军每天都伤亡3000多人,但却仍然不能占领全城。德军的士气一天天地低落下去了。一个德国士兵在家信中哀叹:"我们不久就可以占领斯大林格勒,但是它仍然在我们面前——相距如此之近,却同时又像月亮那样遥远。"

苏军与德军在斯大林格勒多次展开拉锯战,每一寸土地都成了双方激烈争夺的焦点:火车站曾13次易手;弹丸之地马马耶夫山冈更是在半个月的时间内被交替占领,双方为此付出了战死30万人的代价。由于苏军坚持寸土不让,曾经用28天的时间占领一个国家的德国人,在斯大林格勒打了一个月却不过是越过了几条街。

由于战场狭窄,战争中时常闪现出带有黑色幽默的插曲:一幢楼的半边被德军占领了,而另外半边仍驻扎着苏军士兵,半夜的时候,德军惊讶地发

现炸药包被苏军从隔壁扔了进来;德军占领了"红十月"兵工厂的一半,而在另外一半,苏军装甲车的生产还在如火如荼(tú)地进行着,装甲车一走下生产线,立刻对德军开火;由于物资匮乏、备战时间短,苏联人把几乎所有的武器都派上了用场,有时与敌人狭路相逢,只好用枪刺甚至拳头展开白刃战;纳粹德国的炸弹供应不上,德军飞机就投掷一切能造成破坏的东西,金属块、拖拉机轮子、空铁桶等带着刺耳的噪音从空中呼啸而下,弄得城内一片狼藉。

在斯大林格勒战役中,狙击手发挥着重要的作用。当时发生在苏军准尉扎依采夫和德军的"狙击手之王"科宁斯之间的狙击大对决极其精彩,至今仍为军事爱好者津津乐道。

1942年秋,苏军狙击手在斯大林格勒保卫战中大显神威。其中,扎依采夫在10天之中击毙了42名德军官兵。为了对付扎依采夫,德军调来了柏林狙击兵学校的校长科宁斯上校。科宁斯果然身手不凡,抵达前线不久,就击毙了两名苏军狙击手。为了解除这一时刻威胁苏军生命的"定时炸弹",扎依采夫决定冒险采取行动。他和战友库利科夫在大半天时间里一动不动地趴在伏击地点,仔细地观察周围的环境,试图找出敌人的藏身之处。由于双方相距非常近,稍有一点响动或异常就有可能暴露自己,从而丧命。经过一天的蹲守,扎依采夫和科宁斯彼此都发现了对方藏身的地方。在这种情况下,危险随时都可能降临。第二天下午,整整两天没有挪动过、不吃不喝的扎依采夫让战友库利科夫藏在自己的隐蔽点,并小心翼翼地用枪管把头盔稍稍向上举起。而他则悄悄地来到另一个隐蔽点,将枪口对准了科宁斯的藏身之处。科宁斯果然中了扎依采夫的圈套,朝那顶头盔开了一枪,库利科夫顺势将身子一挺,大叫一声倒了下去。科宁斯以为扎依采夫已经中弹,就从隐蔽处探出半个脑袋,想看个究竟。说时迟那时快,扎依采夫猛地扣动了扳机，子弹正中科宁斯的前额，"狙击手之王"就此魂断斯大林格勒。

英勇顽强的苏联军民用自己的血肉之躯捍卫了国土，彻底击垮了进攻斯大林格勒的德军。1943年2月2日，苏军全歼了斯大林格勒地区的德军，最终赢得了这场大战的胜利。斯大林格勒战役之后，德军主力部队损失惨重，士气大大受挫，被迫由主动进攻转向被动防御，由此走向了覆灭。

智 慧 点 灯

本则故事根据相关史料，并参考电影《斯大林格勒战役》（德国，1993年）、《兵临城下》（美国，2001年）等改编而成。斯大林格勒战役因其战况惨烈被形象地称为"城市绞肉机"，是第二次世界大战中规模空前的一场大战。它以1942年7月17日德军开始进入顿河大河湾为起点，到1943年2月2日苏联军队全歼斯大林格勒地区的德军为结束，历时200多天。在这次战役的高潮期，双方参战的人数多达200万以上，动用坦克2000辆、大炮25万门、飞机2300多架次。

苏联军民在斯大林格勒保卫战中所表现出的英勇顽强、誓死不屈地反抗外来侵略的爱国主义精神将永远闪耀着耀眼的光辉。

中途岛大海战

    1941 年 12 月,珍珠港事件发生时,美国海军少将尼米兹正在家中度周末。听到珍珠港遭袭的消息后,他猛地从椅子上跳了起来,显得极为激动而又愤怒。他边穿大衣边命令道:"副官,备车! 我要到海军部去,必须立即弄清楚这到底是怎么回事。"妻子见尼米兹发这么大的脾气,已感觉到事态严重。她知道自己帮不上忙,只能在心中默默祈祷。

    尼米兹当时是美国海军部航行局局长。当他还是海军上校时,就致力于对未来战争的研究。他认为美国迟早要和日本或德国打仗,而且战争必然会从突袭开始。由于他在美国海军中享有很高的声誉,所以连罗斯福总统都知道他这个"红脸膛"。

    过了一会儿,副官报告说车子已准备好了。尼米兹疾步走到妻子身旁,说:"夫人,我不能陪你度周末了。我所期盼的统率一支庞大舰队的时刻到来了。"走到门口,他又回过头来说:"只有上帝知道我什么时候能回家,请你多保重,再见!"说完,他就大步走出了家门。

    来到航行局,尼米兹见部属们都已到齐了,就急不可耐地大声问道:"难道我们的舰队真的覆灭了吗?"部属们都低着头,一声不吭。尼米兹扫视了一下大家,朝一位咬着嘴唇的部属问道:"罗奇上校,你是情报专家,难道你的部门就没有侦察到敌人的任何情报吗?"问完这话后,他又觉得有些多余,因为这时候再问这些已没有什么意义。他平复了一下自己的情绪,说:"罗奇上校,我命令你立即通过各种渠道弄清珍珠港的情况。我要向部长和总统提出具体的建议。"说完,他就叫道:"副官,请你给诺克斯部长打个电话,说我想去见他,请他定时间。"然后,他转回来正色对众人说道:"现在,我们的国家遭到了敌人的突袭,我们海军的荣誉被敌人践踏了,我无法形容此刻的痛苦心情。但我已下定决心,要立即行动起来,重建我们的太平洋舰队!"他那激愤的样子令在场的所有军官热血沸腾。他们齐声吼道:"是! 我们一定会让日本人血债血偿!"

几个小时后,尼米兹去了海军部大楼。紧张与焦虑已折磨得他十分疲劳。他拖着沉重的步子走进部长的办公室。部长诺克斯上将见到他显得十分激动,开口就问:"你最快能在什么时候出发?"尼米兹惊讶地反问:"出发? 去什么地方? 待多久?""去指挥太平洋舰队,等战争结束后再回家。"说着,诺克斯上将递给他一张总统签署的委任状。

尼米兹不禁大吃一惊。他没有想到任务来得这么快,这么突然。但他明白,执行命令是军人义不容辞的责任。一种沉重的责任感与使命感在他心中油然而生。他两眼注视着自己的上司,重重地点了点头。十几分钟后,他随部长驱车来到白宫,拜见了罗斯福总统,并汇报了自己的具体想法。

当尼米兹离开总统办公室时,夜幕早已降临。日军袭击珍珠港后,华盛顿市区实行了战时灯火管制,路上行人稀少。尼米兹一个人静静地走在回航行局的路上,高大的梧桐树在他身上投下斑驳的影子。此刻,他深深地感

受到了和平的生活是多么美好。

　　珍珠港事件发生后 10 天,尼米兹晋升为海军上将,赴珍珠港出任美国太平洋舰队总司令。当尼米兹乘坐的飞机飞临太平洋的上空时,他清楚地看到了位于太平洋航线上的重要岛屿中途岛。中途岛面积虽然只有 4.7 平方公里,但是它特殊的地理位置决定了它具有极其重要的战略地位。该岛与美国旧金山和日本横滨均相距 2800 海里,处于太平洋航线的中途,故名中途岛。它距珍珠港 1135 海里,是美国在中太平洋地区的重要军事基地和交通枢纽,也是美国海军在夏威夷的门户和前哨阵地。明眼人一看就知道,中途岛一旦失守,美国太平洋舰队的大本营珍珠港必将不保。

　　到达珍珠港后,尼米兹首先视察了受到袭击的军事区域。看到水面上覆盖着一层乌黑的柴油,岸边溅起黑色的浪花,被击沉的舰只在黑色的海浪中时隐时现,他不由得怒火中烧。此时此刻他最不忍目睹的是许多小艇正在打捞被海水泡胀了的水兵尸体。面对悲咽的大海,他狠狠地攥紧了拳头,大喊道:"我会让日本人为此付出代价的!"

　　为了尽快制订出作战计划,尼米兹立即召开了军事会议。会议正在进行时,情报专家罗奇上校从门外进来,交给尼米兹一份资料。尼米兹接过资料,扫视了一下,对众人说:"现在该由我们来替日本人制订作战计划了。各位,你们对日本联合舰队司令官山本五十六了解多少?有谁知道山本偷袭珍珠港后的心情?"会场一片寂静。

　　尼米兹见无人发言,站起身来沉痛地说:"各位,这就是我们惨遭失败的原因。不过,这也是我们将来取得胜利的所在。"他的话戛(jiá)然而止。然后,他微微地向罗奇上校点了点头。罗奇上校立即起身,打开文件夹说:"山本五十六在偷袭珍珠港得手后曾夸下海口,说很快就会打到华盛顿,在白宫和美国订立城下之盟。"

与会的军官们听到这里都破口大骂，痛斥日本人狂妄自大。会议气氛顿时变得热烈而活跃。尼米兹示意大家安静，阐述了自己的观点："日本人得手后肯定会狂妄自大，忘乎所以，而这种情绪必然会使他们放松戒备。但是，他们也不是得到一块巧克力后就会去安静地做美梦的孩子。他们是野兽，一旦吃完了口中的猎物，就会再次张牙舞爪地扑来。"说到这里，他深吸了一口气，最后说："现在时机已经到来，我们必须在他们尚未吃完巧克力的时候就给他们一枪。"他的幽默使得会场上响起了一片笑声。

经过研究，美军决定突袭日本在东太平洋上的重要军事基地——马绍尔群岛。这是一个由珊瑚礁组成的小岛，日本人已经在岛上修建了飞机场和兵站。他们希望以这个基地为依托，来切断美国在太平洋上的生命线。

几天后的一个凌晨，数十架美国战机从航空母舰上起飞，向着马绍尔群岛飞去。数小时后，战机编队飞临目标上空。他们发现岛上一片宁静，海面

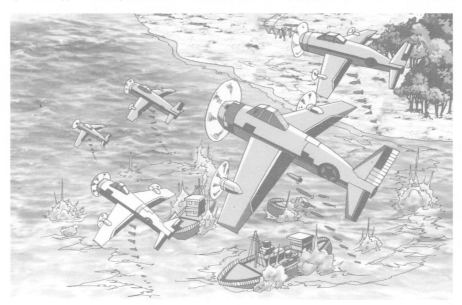

上的军舰也毫无动静，看来日军没有任何戒备。美军的飞行员们就像平常进行打靶训练一样，冲着日军的目标俯冲下去，把日军在海上和岛上的军事设施炸成了一片火海。

消息很快传到了日军在东京的大本营。日本联合舰队司令官山本五十六感到事情来得太突然，心里非常不服气。他自信满满地对手下的将官说："这不是失败，真正的较量还未开始。"没过多久，他就开始着手组织一次更大的、将会给美国带来致命打击的战役。经过周密筹划，他把这一战役命名为"米号作战"。他没有想到，这个行动计划很快就被美军掌握了。原来，美军情报部门早就在密切关注日军的战略动向了。

1942 年 5 月的一天，在珍珠港美国太平洋舰队司令部，罗奇上校一脸神秘而又难掩兴奋之情地走进了尼米兹的办公室。他克制不住内心的喜悦，对尼米兹喊道："将军，我终于找到它了。"说完，他递给了尼米兹一张小纸片。纸片上面有许多字码，在字码的行间排列着"A"和"F"两个字母。尼米兹不懂得这是什么，只是凭智慧和经验认为这肯定是一个重要信号——敌人的军事机密。他的眼神里充满了兴奋，高兴地对罗奇上校说："我可没有你那样的本领。你认为这是……"罗奇上校神秘地笑着说："我想，'AF'应该是指中途岛。"

为了确认"AF"的含义，罗奇上校想出了一个抛砖引玉的计策。当天中午，中途岛上的美军发出了一个经过伪装的密码电波："部队的淡水蒸馏装置发生故障。"电报发出后，罗奇上校日夜守候在监听电台旁。两天后，他终于侦听到了日本的电波："AF 缺少淡水。"罗奇上校激动得差点儿晕倒在地。他大声叫道："哦，上帝，鱼儿终于上钩了！'AF'果然是指中途岛！"

原来，日本方面认为，只要对中途岛发动进攻，美国太平洋舰队必定会全力以赴地前去增援，到时就可将他们聚而歼之，而中途岛上若是缺少淡水，无疑将会对日军大为有利。据说,山本五十六得到中途岛美军缺少淡水的情报后,不禁大喊:"天助我也!"狡猾的日本人没有想到,这次他们上当了。

尼米兹紧急召开了军事会议,研究如何在中途岛部署舰队,吃掉山本五十六这条大鱼。会上,尼米兹向与会军官们提出了两个问题:一是中途岛战役和上次马绍尔空战有何不同;二是在此次中途岛战役中,美军应采取何种战术。军官们根据各自不同的任务提出了自己的意见,但最为棘手的如何隐蔽舰只的难题却始终无法解决。最后,尼米兹作了归纳总结:"将计就计,让敌人深信我们淡水供应不足;以逸待劳,让敌人疲于奔命地来攻打我们。我们总的作战方针就是:伪装、欺骗、诱敌出击,截而攻之。至于隐蔽舰只的问题,会后将由指挥部拿出方案。"

会议结束后,尼米兹把几名得力助手叫到办公室,提出了一个大胆的设想:这次不让主力舰参战。他这话一出口,众人都大吃一惊:主力舰不参战行吗?尼米兹十分冷静地陈述了自己的主张:"把主力舰只全部停泊在离中途岛较远的海区,避免与敌人正面冲突;当敌人扑空,发觉上当时,趁他们寻找目标的空当,我们的飞机立即从航空母舰上起飞,打他个猝(cù)不及防。"听完尼米兹将军的话,部属们都感到这是一个好主意,不约而同地舒了口气。

1942年6月4日凌晨,决战的时刻终于到来了。日本联合舰队前线指挥官南云忠一中将率全部战舰气势汹汹地直扑中途岛而来。随着他一声令下,100余架战机飞离甲板,向中途岛发起了攻击。可是,南云忠一中将的判断完全错了,当他的战机飞临岛区上空时,发现美军的战机已经升空迎战,而且地面的高射炮组成了严密的火力网,日本战机根本无法扔下炸弹。南云忠一中将大怒,命令第二梯队战机立即投入战斗,实施轮番轰炸。但这仍无济于事。6月4日清晨6点,南云忠一中将终于发现了离他200余海里处的

美国舰队。这时,他已经没有别的选择了,只有掉转方向与美舰决一死战。

就在南云忠一中将指挥庞大的舰队调整队列的时候,数百架美军战机按预定计划从航空母舰上起飞,迅速飞了过来,对着日舰狂轰滥炸。日军堆放在甲板上的炸弹和鱼雷,连锁反应般地一个接一个地爆炸了。不多时,所有的日舰都被大火笼罩了,甲板上血肉横飞,伤兵不时地发出声声惨叫。几个小时后,曾经显赫一时的大日本帝国的联合舰队主力就消失在茫茫的太平洋之中了。南云忠一中将见势不妙,率残部仓皇逃回了日本。

中途岛战役最终以日本惨败而告终。得到消息后,日本联合舰队司令官山本五十六沉默了好几个小时,然后才缓缓地说:"我应该对天皇陛下谢罪。"9个月后,1943年4月18日,被誉为日本海军之魂的山本五十六大将因座机被美军击落而葬身太平洋。美国人总算为珍珠港事件中的死难者报了一箭之仇。

智 慧 点 灯

本则故事改编自相关史料以及反映中途岛战役的电影,如《中途岛战役》(美国,1976年)、《联合舰队》(日本,1981年)等。中途岛海战是二战中决定太平洋战争胜败的关键一战,是美国海军创造的以少胜多的一个著名战例。

中途岛海战使日军丧失了在太平洋战争初期夺取到的海空控制权。此后,日军被迫停止在战略上的全面进攻,转而采取守势,太平洋战争开始出现转折。中途岛战役之后,直到第二次世界大战结束,日本虽仍拥有了强大的海军,却再也没有发起大规模的海战。这是因为关于中途岛的痛苦记忆已使得他们无法对战局作出正确的判断了。

轰炸东京

中途岛海战之后，日本在太平洋战场上的优势地位逐渐丧失。美军先后夺取了几个离日本本土较近的群岛，并以此为基地，开始对日本实施战略轰炸。

1945 年 1 月底，美国陆军航空兵总司令阿诺德将军委任柯蒂斯·李梅少将为第 20 航空军司令部指挥官，专门负责对日战略轰炸。年仅 38 岁的李梅是当时美国陆航最年轻的将军。他勇猛果断，曾在欧洲战场指挥 B - 17 轰炸机部队对德国进行战略轰炸，屡出奇谋，斩获了骄人的战绩。

当时，李梅将军掌握着一支实力雄厚的 B - 29 超级"空中堡垒"式轰炸机编队。这种飞机是当时世界上最先进的轰炸机，重 60 余吨，能携带 7 吨多炸弹，时速可达 563 公里，飞行高度可达 1 万多米。用这种飞机轰炸日本本土是盟军登陆日本本土前的重大战略步骤，也是迫使日本投降的重要手段。

李梅将军在仔细对比德国和日本的工业布局模式后，认为对德国采用的轰炸方式不适宜用来对付日本。德国工业发达，城市建筑大部分都是钢

筋混凝土结构,轰炸时只能用穿透力强、威力大的炸弹。而日本城市的布局和结构有很多弊端,比如夜间防空能力较弱、住房密集且多为木质结构、极易着火等,要想增加空袭的破坏力,最好使用燃烧弹。

1945 年 2 月底,美国海军陆战队攻占了距日本本土仅一步之遥的硫磺岛,为 B - 29 轰炸机编队赢得了轰炸日本本土的中转机场。获知这一喜讯后,李梅认为事不宜迟,应该尽快对日本本土进行轰炸。鉴于日军夜间的防空力量较弱,李梅决定对原先的轰炸战术进行彻底的改革。他命令 B - 29 轰炸机卸下除尾炮之外的所有武器,全部携带燃烧弹。这样,拆除武器所节省的重量,再加上不必采取高空飞行所节省的燃料重量,可以使轰炸机的作战性能大大增强。

对于这种改革,上至阿诺德将军,下至每个 B - 29 轰炸机机组成员都大吃一惊。因为这无异于拿所有 B - 29 轰炸机和机组成员的生命进行冒险。但李梅本人却十分自信,并最终说服了阿诺德将军。在作战前动员时,他大声疾呼道:"我们要烧掉那些用木板做的日本城市!让我们放一个日本人从未听过的大鞭炮!"这些话让所有机组成员深受鼓舞。会后他们就都鼓足干劲,投入到紧张的备战工作中去了。

1945 年 3 月 9 日这天,东京街头非常热闹,因为第二天就是日本的"军人节"。在战时,这是一个重大节日,毕竟大部分人家中都有亲属参军。街道上,广场上,东京市民互致问候,祝福远在前线的亲人平安。他们不曾料到,巨大的灾难即将来临。

3 月 9 日下午,334 架 B - 29 轰炸机在鲍尔准将的率领下,从关岛起飞,朝日本飞去。庞大的机群掠过碧波万顷的太平洋,直扑东京。机群起飞后,坐镇司令部的李梅将军一直忐忑不安,如坐针毡。他把手中所有的赌注都押在了深入龙潭虎穴的上千名空中勇士的身上。勇士们在出发前,李梅将军亲自训示："如果你是 B－29 轰炸机的空勤人员，如果你被打了下去，你就要准备承受日本人最粗暴的对待，你生存的机会绝不会多。"让他感到欣慰的是，整个战斗机组没有一个飞行员要求退出战斗。

东京的春夜，星月全无，一片静寂。突然，天空中响起了"轰隆隆"的飞机引擎声，紧接着，尖厉的防空警报拉响了。日军的照明弹划破黑暗的夜空，防空炮立刻猛烈开火。在明亮耀眼的橘红色火焰中，可以看见上百架低空飞行的 B－29 轰炸机。有的轰炸机机身被高射炮的炮弹炸开了，朵朵火焰从油箱部位四散落下，使黑暗的天空中出现了许多小小的红点，与下方交错闪烁的炮火交相辉映。

为避免造成不必要的伤亡，李梅命令此次空袭以单机而不是编队形式进行。每架 B－29 轰炸机起码载有 24 枚重达 500 磅的燃烧弹。这些燃烧弹摇曳着离开了炸弹舱，高速坠向 1700 米下方的东京。

一架架 B－29 轰炸机在东京夜空中疯狂地俯冲、爬升,此起彼伏,仿佛完全失去了控制。爆炸产生的强烈热浪冲击着每一架 B－29 轰炸机,使得它们庞大的躯体像飓风中的一张张薄纸,在空中飘飘摇摇。

　　这 334 架 B－29 轰炸机对东京投下了 2000 余吨燃烧弹。一时间,风助火势,火借风势,烈火席卷了整个东京。焚烧发出的噼啪声,逃命者的呼喊声,震撼着无边的夜空。整个东京变成了一座混乱、恐怖、令人无法想象的火的地狱。地面温度几乎在瞬间接近 1000℃,树木、房屋以及人体全都发生自燃,连金属都熔化了。地面上,大火像洪水般蔓延开来,四散奔逃的人群像无头苍蝇似的狂奔,但火焰很快就将他们吞噬(shì),化为燃烧的焦炭。一些人为了求生而跳进城内的池塘和河流中,但池水和河水在高温下也已沸腾,结果这些人都被活活煮死了。

　　轰炸持续了整整一夜。

　　第二天天亮后,幸存者们被眼前的一幕惊呆了:城市里的大部分建筑物荡然无存,只剩下东倒西歪的水泥柱和钢筋混凝土的断壁残垣。一位幸存者后来回忆道:"那一刻,我家附近的房屋都变得像融化的糖块一样。河水几乎都蒸发掉了,无数烧焦的尸体暴露在干涸(hé)的河床上。士兵和警察们在忙着堆放死尸。尸体呈各种姿势蜷缩着,空气中弥漫着烧焦的臭味。天啊!那一刻我怀疑自己是否还在人间……"

　　在这次空袭中,有 9 架 B－29 轰炸机被日军击落,5 架 B－29 轰炸机身负重伤,勉强飞离东京,在海面上迫降。另有 42 架 B－29 轰炸机负伤,但它们都安全地返回了基地。

　　这次夜间轰炸东京,对美军来说是一次蔚为壮观的行动,具有重大的意义。而对日本人来说,这是一场无法想象的灾难。这次轰炸之后,美军所拍摄的侦察照片显示:东京约 41 平方公里的土地上建筑物被焚烧得荡然无存,东京的四分之一被夷为平地,其中 18% 是工业区,63% 是商业区,其他是密集的住宅区。这次空袭之后,李梅计划要轰炸的 20 多个工业目标全部被毁,化成了一片灰烬。东京市民有 8 万多人被烧死,10 万多人被烧成重伤,另有 100 多万人无家可归。

智慧点灯

本则故事根据相关史料,并参考美国作家戴维·贝尔加米尼的《日本天皇的阴谋》中相关片断改编而成。轰炸东京是一场大战役,在二战史上留下了浓墨重彩的一笔。这次史无前例的空中轰炸,其意义甚至比它取得的战果还要大:它意味着美军可以从空中征服日本,而不必冒登陆作战造成大量伤亡的危险。空袭所取得的战果,大大缩短了盟军通向胜利的征程。

虽然当时美军轰炸日本本土是为了正义的目标,但客观来看,这次轰炸对日本平民造成了极大的伤害,体现出了战争根本具有的残酷性。后来,日本军事史学家在谈论东京轰炸的后果时,曾哀叹道:"这次空袭动摇了这个国家的基础。"

诺曼底登陆

　　诺曼底登陆,是第二次世界大战后期盟军在法国西北部的诺曼底半岛对德军实施的一次大规模登陆战。

　　在1943年5月召开的华盛顿会议上,同盟国为了和东线的苏联红军相配合,两面夹击德军,决定登上欧洲大陆,开辟第二战场。在此后将近一年的时间里,盟军为这次被命名为"霸王行动"的大规模登陆作战做了大量的准备:任命美国的艾森豪威尔将军为盟军总司令;命令近300万陆海空将士在英国海岸集结,准备横渡英吉利海峡……

　　对登陆战来说,最关键的就是登陆地点的选择。盟军参谋部认真研究了法国游击队和情报人员提供的法国西海岸德军设防情况的情报,并全面考虑了其他各种条件,最终决定把登陆地点选在法国西北部的诺曼底。然而,如何才能迷惑早已严阵以待的德军,不让他们猜到盟军的真正登陆地点呢?

　　经过周密部署,盟军跟德军摆起了"迷魂阵":把由英国电影制片厂的布景道具师们设计的"登陆艇"、"弹药库"、"医院"、"兵营"、"飞机"、"大炮"

等,布置在英国东南沿海一带;盟军谍报人员开始在各中立国到处搜集法国加莱海岸的详细地图;英国建筑师在东南沿海较显眼的地方建造起了"码头",还配备了发电厂和贮油罐等等;一支"100万人"的集团军被调到东南沿海,开始进行登陆演习……这所有的迹象都显示盟军将矛头指向了法国的加莱海岸。

与此同时,盟军为诺曼底登陆而做的准备工作也在紧锣密鼓地进行。这些准备工作极其复杂。为了确保顺利登陆,英军改进了许多装甲车,有的改造成可以在海滩上压出路面的压路机,有的改造成可以在布雷区开道的装有扫雷器的装甲车,有的改造成可以用来跨过壕沟的装甲便桥。盟军甚至还制造了两座人工港口,以备登陆部队卸下装备物资之用。而法国地下抵抗组织也向盟军提供了数以千计的非常有价值的情报,德军在法国海岸线上的防御工事、桥梁、机场、仓库、公路、火车站等等,都被盟军摸了个一清二楚。在登陆部队指挥官的作战地图上,甚至连哪个地方有棵大树都标了出来。

盟军的迷惑战术让德军信以为真,"盟军要在加莱登陆"的消息很快传到了德军西线指挥部。"看来,盟军要在加莱海岸登陆是确定无疑的了!"奉希特勒之命赶来指挥防御的德军元帅隆美尔自信地断定。

基于这一判断,隆美尔立即下令加强加莱海岸的防御。几天之内,那里的海滩上就布满了地雷,海岸上构筑起了坚固隐蔽的炮台,并布置了反坦克陷阱和壕沟。希特勒还把最精锐的德国第15集团军调到这一地区,归隆美尔指挥。就这样,没多久,加莱就成了德军构筑的"大西洋铁壁"中最坚固的一环。隆美尔做梦也不会想到,此刻盟军的百万大军已做好从诺曼底登陆的准备,登陆日期定在了1944年6月6日。

盟军登陆的前几天,在英吉利海峡的另一边,隆美尔驱车赶回了远在德

国的家中。他要为妻子送上生日礼物——一双漂亮的女式皮鞋。在回德国的路上，隆美尔坐在敞篷汽车中，望着阴云密布的天空若有所思。根据德军气象站的报告，近几日英吉利海峡天气相当恶劣。"这样的坏天气，盟军是不会贸然发动渡海作战的。"隆美尔想。

6月6日凌晨，艾森豪威尔将军下达了登陆作战的命令。盟军的3000余架运输机、滑翔机载着3个伞兵空降师，从英国20多个机场起飞，飞向法国诺曼底。4000多艘舰船和无数的登陆艇在飞机掩护下，驶出了经过高度伪装的英国南海岸基地，横渡英吉利海峡，向诺曼底挺进。著名的诺曼底登陆战开始了！

此时，德军仍蒙在鼓里。正在睡觉的德军西线司令伦斯特被部下叫醒，听到了来自诺曼底前线的紧急报告："一股盟军空降部队着陆，看来是一次大规模行动……"坚信盟军将从加莱海岸登陆的伦斯特不相信盟军会从诺曼底登陆，就漫不经心地指示说："不必惊慌，空降伞兵是盟军惯用的虚张声势、声东击西的手法，不会是大规模行动的。"说完，他便接着睡觉去了。几分钟后，驻守诺曼底的部队又向司令部报告说："海岸雷达的荧光屏上出现了大量黑点，一支庞大的舰队正在向诺曼底海岸进发。"德军西线参谋长布鲁门特里特却不屑一顾："什么？在这样的鬼天气里发动进攻？一定是你们的技术员弄错了！那些黑点也许是一群海鸥吧！"

黎明时分，英国皇家空军和美国第八航空军的2000多架飞机先后对诺曼底的德军防御堡垒投下了上万枚炸弹。与此同时，盟军的飞机开始轮番轰炸德军西海岸目标和内陆炮兵阵地。直到此时，德军才明白了盟军的真正意图。

盟军选择的登陆地点诺曼底海滩位于法国的西北部，从东到西共有5个滩头——剑滩、朱诺滩、金滩、奥马哈滩和犹他滩，全长约50公里。按照计划,登陆的第一批进攻部队为5个师,每个师负责攻占一个滩头。

　　清晨6时30分,美军首先开始在奥马哈滩和犹他滩登陆。负责攻占犹他滩的美军第七军第四师仅仅遭到断断续续的炮击,没费多大劲儿就登上了海岸。3个小时内,他们就肃清了这个地区的敌人。随后,后续部队和装备被源源不断地运送到了岸上。

　　但在奥马哈滩,美军第七军第一师却遇到了极大的麻烦。他们横渡英吉利海峡时,就被大浪、晨雾、弥漫的硝烟和侧面袭来的气流给折腾得筋疲力尽。登陆时,他们又遭到敌军猛烈的炮火袭击。一时间,死伤的士兵布满了海滩。随之而来的后援部队也未能打开局面。在这危急关头,美军两个突击营用绳梯爬上海岸上的悬崖峭壁,夺取并摧毁了敌人的几座炮台。但是敌人并没有就此善罢甘休,而是继续猛烈射击,把美军阻挡在海滩上。美军第七军第一师师长许布纳当机立断,要求海上的驱逐舰冒着可能杀伤自

己人的危险,向德军炮群和火力点进行近距离的炮击。事实证明,他的决策是正确的。驱逐舰的大炮发挥了巨大的威力,不一会儿便迫使龟缩在工事里的德军举手投降了。经过浴血奋战,美军终于建立起了一条纵深不到两英里的滩头阵地。

英国第二军团的第五十师于7时20分开始在金滩登陆。付出惨重的代价后,到黄昏时,他们向内陆推进了大约5公里。在朱诺滩,加拿大的第三师在肃清滩头的德军之后,进展最快,当晚就到达了预定的作战区域。在剑滩,英军第三师也遭到了激烈的抵抗。经过一番激战,到黄昏时他们终于得以同空降的第六步兵师会合。

正在家中度假的德军元帅隆美尔得到消息后,立即取消了谒见希特勒的计划,驱车返回法国。由于路途遥远,直到中午他才赶到德军西线司令部。

经过紧张的调研,隆美尔把战况汇报给了希特勒,并请求他批准急调两个精锐坦克师来诺曼底。但希特勒却说,这两个坦克师不能轻易动用,要看看形势的发展再决定。说完,他就午休去了。尽管西线的告急电话不断地响起,但没有人敢去打扰"伟大的元首"。

下午3时,希特勒午睡醒来。前线报告说:"盟军已有大批部队登陆,并已深入陆地几公里。"希特勒这才如梦初醒。他慌忙派坦克师去支援诺曼底,并发出紧急命令:"必须在傍晚前消灭登陆的敌军,收复滩头阵地……"可是,一切都已晚了!

当天傍晚,盟军在欧洲大陆建立了牢固的据点,有将近10个师的部队连同坦克、大炮等武器被运上了海岸。后续部队还在源源不断地开来。而先头部队也在不断地向内陆推进,扩大着已有的战略优势。诺曼底登陆成功了!

仅仅一天,希特勒所吹嘘的"大西洋铁壁"就被突破了。从此以后,法西斯德国陷入了苏军和盟军东西夹击的铁钳之中,没多久就走向了灭亡。

智 慧 点 灯

本则故事根据相关史料,并参考《最长的一天》(美国,1962年)、《拯救大兵瑞恩》(美国,1997年)等影片改编而成,讲述了诺曼底登陆战的全过程。

诺曼底登陆的成功对盟军在西欧展开大规模进攻、加速纳粹德国的崩溃起到了重大作用。当时的苏联领导人斯大林高度评价诺曼底登陆。他说:"就其规模,就其宏大的布局,以及执行原定计划的精彩程度而言,在战争史上还从来没有过能与诺曼底登陆相提并论的事业。"

超级密码的诞生与毁灭

1918 年,德国发明家亚瑟·谢尔比乌斯和朋友理查德·里特创办了谢尔比乌斯和里特公司。这是一家专门把新技术转化为现实生产力的企业,利润极高,同时风险也很大。谢尔比乌斯负责研究和开发。他以前曾在汉诺威和慕尼黑研究过电气应用,这使他产生了一个大胆的想法——用 20 世纪的电气技术来取代那种过时的铅笔加纸的加密方法。为此,他发明了一种电子加密装置,将其命名为"恩尼格玛"。

不久,谢尔比乌斯为恩尼格玛密码机申请了专利,并于 1920 年开发出了基本型和豪华型两种型号。但是由于价格昂贵,恩尼格玛密码机基本上无人问津。

恩尼格玛密码机操作起来很简单:在密电发出去以前,报务员将恩尼格玛密码机的电子和机械部件设置到和接收方预先约定好的组合上,然后在恩尼格玛密码机的键盘上输入明文电报。每输入一个字母,位于键盘上方的某个字母(该字母和输入的字母一定是不同的)下的指示灯就会亮起。报务员要记录下每个亮起的字母。明文电报完整地被输入恩尼格玛密码机后,报务员将得到一组毫无规律的字母,而这正是该明文电报的恩尼格玛密码电文。接着,报务员用发报机将这篇电文以标准电码的形式发出。接收方的报务员接收到电文后,将他的恩尼格玛密码机的电子和机械部件调整到相同的设置,并依次在键盘上输入电文后就可以将密码解密,就可以得到明文电报。

在 1923 年的国际邮政大会上,公开亮相的恩尼格玛密码机仍是门前冷落鞍马稀。眼看恩尼格玛密码机就要无疾而终了,却突然柳暗花明——1923 年英国政府公布的一战官方报告中谈到一战期间英国通过破译德国无线电密码而取得决定性的优势,引起了德国的高度重视。德国随即开始大力加强无线电通讯安全工作。有关方面对恩尼格玛密码机进行了严格的安全性和可靠性试验,结果认定德国军队必须装备这种先进的密码机以保证通讯安全。接到德国政府的订单后,谢尔比乌斯的工厂开始批量生产恩尼格玛密码机。1926 年,德国海军正式开始装备恩尼格玛密码机。两年后,德国陆军也开始装备。当然,这些军用型恩尼格玛密码机已经做了相应的改进,与原来已经卖出的少量商用型机器在最核心的结构上有所不同,因此即使有人拥有商用型机器,他也无从知道军用型机器的具体情况。

纳粹党掌握德国政权后,又安排专门机构对恩尼格玛密码机进行了评估。评估报告认为该密码机便于携带,使用简便,更重要的是安全性极高。即使敌人拥有了同样的密码机,如果不能掌握其由三道防线所组成的密钥,一样无法破译密码。纳粹德国最高统帅部通信总长埃里希·弗尔吉贝尔上校盛赞恩尼格玛密码是"超级密码",认为该密码机将成为为德国军队服务的最完美的通信装置。因此,上至德军统帅部,下至德国陆海空三军,都把恩尼格玛密码机当做制式密码机广泛使用。德国人自信满满地认为,他们已经掌握了当时世界上最先进、安全性最高的通讯加密系统。

魔高一尺,道高一丈。当德国人还陶醉在自己的美梦中时,恩尼格玛密码机已悄然成为英国人手中的利器。

1928 年的一天,波兰情报人员偶然地得到了一台德国军用恩尼格玛密码机。波兰政府组织专业研究人员弄清了其内部构造,随后又组织专门的密码破译人员对其进行破译研究。

经过艰苦的工作,到 1934 年,波兰人研究出了破译恩尼格玛密码的方法。可是,德国人也没闲着,他们在 1937 年又对恩尼格玛密码机做了大幅改进。如此一来,仅凭波兰的设备和财力,密码破译工作很难再继续下去了。

无奈之下,1939 年 7 月,波兰情报部门邀请英国和法国的情报部门共商破译恩尼格玛密码的大计。三方商定了具体的分工:波兰继续从事数学理论方面的探索工作,法国通过间谍活动获取相关的情报,英国负责研制破译机器。然而,仅仅两个多月后,波兰就在法西斯德国的铁蹄下亡国了。波兰破译小组的部分成员被迫转至法国继续进行研究。到 1940 年 6 月,法国战败投降,研究人员四散逃亡。这样一来,破译恩尼格玛密码的重任就全部落在了英国人的身上。

1939 年 7 月,英国情报部门在伦敦以北约 80 公里一个叫布莱奇利的地方征用了一所庄园。一个月后,鲜为人知的英国政府密码学校迁移至此。不久,一批英国数学家也悄悄地来到了这所庄园。英国政府这般神不知鬼不觉地安排,就是为了破译恩尼格玛密码。

在这所后来举世闻名的庄园里,汇集了很多天才科学家。其中,最为著名的要数计算机领域的巨匠艾伦·图灵,当时他才 27 岁。1940 年 1 月,图灵专门到法国拜访了那些流亡中的波兰密码破译专家。从他们那里,他了解到一种被称为"炸弹"的破译机器。这种机器引起了图灵极大的兴趣。

回国后,图灵把波兰人制造的"炸弹"与他早先的数学研究结合起来,制造出了一台庞大的计算机——"图灵炸弹"。它的诞生,敲响了恩尼格玛密码的丧钟。

1940 年 3 月 14 日,第一台"图灵炸弹"在布莱奇利庄园投入使用。不久,它便成功地破译了一份恩尼格玛密码电文。庄园的负责人亲自把这份电文呈送给英国空军情报部,兴奋地说:"从此以后,德国人的绝密情报对于我们来说,完全是一本可以阅读的书了。"

可是,最初的"图灵炸弹"运行非常缓慢,有时要一个星期才能找出一个密钥。战争形势瞬息万变,破译的效率如此之低,可以说很难起到什么作用。为此,著名数学家戈登·韦尔什曼带领一批工程师对"图灵炸弹"进行了大规模的改进。改进后的"图灵炸弹"运行效率大大提高。一台"图灵炸

弹"可以在一个小时内找到一个密钥。到 1941 年底, 庄园已经拥有了 12 台"图灵炸弹"。到 1943 年 3 月时, 这个数目增加到了 60 台。在它们的帮助下, 英军破译起来恩尼格玛密码易如反掌。

恩尼格玛密码终于可以破译了, 这让英国军方高兴万分。在这以后, 如何防止无孔不入的德国情报人员获悉这一绝密信息就成了摆在英国军方面前的一道难题。

为了防止这一机密外泄, 英国情报部门采取了一系列严密的防范措施。有时, 英军甚至会放弃一些极有价值的情报, 以表明自己对德军的情报一无所知。为此, 英国付出了沉重的代价。1940 年 11 月 12 日, 布莱奇利庄园截获并破译了纳粹德国空军总司令发给其驻西欧各航空站的一批密码电报, 得知德国空军将出动 500 多架轰炸机对英国的考文垂市进行大规模空袭。此时, 英国尚有十分充足的时间, 完全可以通知考文垂市做好防空准备, 从而避免大的损失。但是, 英军高层考虑到德军可能会由此推断出密码已被破译, 便将这一情况上报给了丘吉尔首相, 请他定夺。丘吉尔分析情况后, 下令不将此事通报给考文垂市。结果, 在德国空军发动的空袭中, 考文垂市有 6 万多名市民丧生。

英国用如此大的代价蒙蔽了德国人, 使他们坚信恩尼格玛密码万无一失, 从而继续放心大胆地使用它。事后证明, 英国人的血没有白流, 恩尼格玛密码为盟军发动诺曼底登陆等重大军事行动提供了德军方面的动向作为研判的依据, 从而为盟军赢得一系列大战的胜利提供了保证。可以说, 这套密码的破译和保密为加速纳粹德国的灭亡作出了不可磨灭的贡献。

为彻底埋葬这个秘密, 战后, 英国军方下令拆毁了好不容易研制出来的"图灵炸弹", 销毁了设计图纸和各种文件资料。布莱奇利庄园中的几千名工作人员在宣誓坚决保守秘密后被遣散。

直到 20 世纪 70 年代,随着计算机加密技术的发展,恩尼格玛密码已过时,保密工作因而变得毫无意义之时,英国当年破译这一"超级密码"的真相才大白于天下。

智 慧 点 灯

本则故事改编自描写历代密码术的纪实性历史读物《密码中的秘密》(2008 年版),目的在于通过讲述恩尼格玛密码的故事,使读者了解密码战的一隅。

恩尼格玛密码是一战后兴起的一种密码术。它终结了手工编码的时代,实现了电气化自动编码的新突破。在二战中,它成了一把最具杀伤力的利刃。在后来的阿拉曼战役、攻占西西里岛、诺曼底登陆等具有决定性意义的军事行动中,盟军都通过破译恩尼格玛密码及时了解了德军的动向,掌握了战争的主动权。而当时德国人始终被蒙在鼓里,做梦也没有想到他们自认为万无一失的密码早已被英国人发展成了窥察他们的动向的"卧底"。

一鼓作气　决胜长勺

公元前 11 世纪,周武王从商纣王手中夺取天下后,为了加强对边远地区的统治,巩固中央政权,采取了"封邦建国"的方针,即将王室子弟及一些功臣勋贵封为诸侯,给予他们一定程度的自治权,让他们"拱卫王都"。战功卓著的姜太公被封在齐地(今山东东北部),立国号为齐。周武王之弟周公姬旦被封在曲阜(在今山东西南),立国号为鲁。

齐国土地肥沃,渔业资源丰富,还可以通过晒盐获得巨额利润,自西周至春秋,一直是东方首屈一指的大国;鲁国则疆域较小,国力较弱,在各诸侯国中居于二等地位。到了春秋初年,周王室日渐衰微,对各诸侯国失去了控制。这之后,齐鲁两国因利益之争时常发生矛盾,关系日趋紧张。

公元前 686 年冬,齐国宫廷发生政变,齐襄公被杀死。在众大臣的努力下,叛乱很快被平息,但齐国的君位却一时空了出来。大臣们都希望齐襄公的儿子能尽快回国即位。当时齐襄公的两个儿子公子小白和公子纠都流亡在外,都想回国继位。结果,公子小白在鲍叔牙的辅佐下捷足先登,抢占了君位,成为历史上赫赫有名的齐桓公。而公子纠则时运不佳,在这场君权争夺战中丢掉了性命。其重要的谋臣管仲在鲍叔牙的劝说下归顺了齐桓公，后来成为齐桓公成就霸业的得力助手。

在这场齐国君权争夺战中，鲁国是站在公子纠一边的。鲁庄公曾公开出兵支持公子纠回国争夺君位，但结果却是损兵折将，大败而归。鲁国的所作所为导致了齐鲁两国间矛盾的进一步激化。齐桓公本人对此更是耿耿于怀，发誓要狠狠地教训一下鲁国。

公元前684年的春天，齐桓公不听管仲的劝说，派鲍叔牙率军讨伐鲁国。兵强马壮的齐军势如破竹，一直打到了鲁国的长勺（今山东莱芜北部一带）。鲁庄公害怕极了。他知道，一旦长勺失手，鲁国就将面临亡国的危险。在这种情况下，鲁庄公决定紧急动员全国力量，广纳贤才，全力准备迎战。纳贤的消息传开后，一个叫曹刿（guì）的平民前来求见鲁庄公，声称胸有奇策，可以为国分忧。在曹刿动身去见鲁庄公时，村里的人都劝他说："那是达官贵人们应该操心的事情，你一介平民何必去掺和呢？"曹刿却认为当政者庸碌无能，不能深谋远虑，自己身为鲁国子民，有责任拯救国家。

鲁庄公听说有人献策，赶紧召见。见到鲁庄公后，曹刿没有表露出丝毫的胆怯和自卑。他大胆地向鲁庄公发问："国君凭什么和齐国开战呢？"鲁庄公说："衣物食品我从来不独占，都是分发给臣下民众，大家感激我，当然就会支持我。"曹刿反驳道："这些都只是小恩小惠，而且这些赏赐只有您身边的少数人能够得到，百姓是不可能因此为您去拼命的。"鲁庄公说："祭祀祖先神灵我从来都诚心诚意，该供奉多少就供奉多少，该供奉什么就供奉什么，向来严格按照祭祀的礼仪，不敢克扣、虚夸。"曹刿说："这些也不过是小恩小信，神灵并不会因此而保佑您打胜仗。"鲁庄公有点儿不高兴了，停顿了一会儿，又说："大大小小的刑狱案件我虽不敢说都能明察，但量刑轻重一定是按照公平的原则来进行的。"曹刿高兴地说："这才是国君要抓的头等大

事,您能做到这一点就能得到百姓的支持,就可以和齐国一战。交战时我恳请前去助您一臂之力。"经过这一番交谈,鲁庄公觉得曹刿见解独特,是个难得的人才,有他帮助策划战事,肯定会多几分胜算,于是便让曹刿和自己同乘一辆兵车去了前线。

鲁国的军队赶到长勺时,齐军已经摆好阵势了。鲁庄公想要先发制人,就传令擂鼓出击。曹刿见状连忙劝阻,建议鲁军坚守阵地,等待机会。鲁庄公接受了曹刿的建议,按兵不动。齐国统帅鲍叔牙因为以前曾多次打败鲁军,思想上有些轻敌。鲁军刚摆好阵势,他就下令擂鼓进攻。鲁庄公听到齐军鼓声震天,便也想下令擂鼓冲锋。曹刿又建议庄公坚守战阵,以逸待劳,只让弓箭手放箭阻敌,有不听指挥随便行动者一律处死。齐军耀武扬威地猛冲过来,鲁军却纹丝不动。齐军见无机可乘,只得退了回去。过了一会儿,鼓声又响,齐军再次进攻。鲁军还是坚守战阵,不迎战,齐军只得又退了回去。冲锋了两次,仍不见鲁军行动,鲍叔牙十分得意,对属下将领说:"鲁军怕是被我们吓破胆了。这次只要我们勇往直前,他们准会狼狈而逃。"说完就第三次传令擂鼓进军。面对齐军的第三次进攻,鲁国士兵憋足了气,纷纷要求出战。曹刿见战机来临,对鲁庄公说:"可以擂鼓进攻了!"鲁庄公一声令下,蓄势已久的鲁军立即排山倒海般地向齐军冲了过去。齐军连冲两次,都没见鲁军还击,都以为这次冲锋还是跟上次一样,根本没怎么放在心上。没想到鲁军这次如猛虎一般冲杀了过来,齐军措手不及,被杀得七零八落,纷纷溃逃。

鲁庄公见到齐军败退,就兴奋地要下令追击齐军。曹刿又站出来,连说不可。他不慌不忙地下车仔细察看,见齐军的车辙紊(wěn)乱;又登车远望,看到齐军的旗帜东倒西歪。确定齐军的确是溃败逃跑而不是诈败诱敌之后,他这才同意实施追击。乘胜追击的鲁军进一步重创了齐军,将齐军赶

出了鲁国国境。至此,鲁国取得了长勺之战的最终胜利。

战争结束后,鲁庄公向曹刿询问取胜的原因。曹刿回答说:"士兵打仗所依仗的是勇气。第一次击鼓冲锋时,士气最为旺盛;第二次击鼓冲锋时,士气就开始衰退了;等到第三次击鼓冲锋时,士气便完全消失了。齐军三通鼓擂完,士气已经完全丧尽,而我军却士气正旺,这时实施反击,自然就能一举击败齐军。"接着曹刿又说明了在齐军败退后不能立即发起追击的原因:"齐国毕竟是实力强大的国家,不可轻视,要防范其假装败退来诱引我军上当。我看到他们的车辙杂乱,望见他们的旗帜东倒西歪,这才相信他们确实是败退而逃,才敢大胆地建议实施追击。"听了曹刿的这一番话,鲁庄公感到心悦诚服,连连点头称是。

长勺之战的胜利,使鲁国一扫多年来备受齐国欺压的屈辱,扬眉吐气。如今妇孺皆知的成语"一鼓作气"就是来源于这场战争。

智慧点灯

　　本则故事改编自《左传·庄公十年》，讲述的是齐鲁长勺之战。长勺之战是中国战争史上应用"后发制人，以逸待劳"策略最早、最典型的战役，在中国战争史上具有重要地位。同时，它也是以小胜大、以弱胜强的著名战例。其"一鼓作气，再而衰，三而竭"的军事思想，为后世兵家提供了宝贵的借鉴。

　　毛泽东主席在《中国革命战争的战略问题》一文中对齐鲁长勺之战给予了很高的评价，说战争中鲁国"采取了敌疲我打的方针，打败了齐军，造成中国战争史中弱军战胜强军的有名战例"。

迂腐的"仁义之师"

春秋初期的霸主齐桓公死后,五个儿子为了争夺君位而互相攻击,大打出手,齐国的政局一度陷入了混乱。大臣易牙杀死与自己不一心的人,将齐桓公的儿子无亏立为国君。参与争夺君位的齐桓公的另一个儿子公子昭迫于无奈,逃到了宋国(在今河南商丘一带)。

当时的宋国虽算不上大国,倒也经济繁荣,人民安居乐业。宋国的国君宋襄公是个不知道天高地厚的人。他自视甚高,颇有些飘飘然,一心想要称霸。公子昭来到宋国后,宋襄公觉得机会来了。他认为可以借扶助公子昭的机会树立自己的威信,进而称霸天下。

公元前 642 年,宋襄公声称要护送公子昭回齐国当国君,让各路诸侯派兵相助,以壮声势。大部分诸侯见是宋襄公出面号召,都没有理会,只有卫、曹等几个小国派了一些人马来。不久,宋襄公统领联军大张旗鼓地杀向齐国。齐国的贵族本来就对公子昭怀有同情之心,再加上不清楚联军的实力,怕会被联军攻灭,就杀死无亏,赶走易牙,打开国都临淄的城门迎接公子昭回国。很快,公子昭当上了齐国的国君,史称齐孝公。

宋襄公认为自己在齐孝公即位一事上起到了举足轻重的作用,做了一件惊天动地的大事,已足以树立威信,称霸天下,便打算会盟诸侯,确立自己的盟主地位。

　　不久,宋襄公派使者去楚国和齐国,想把会盟诸侯的事先和他们商量一下,以取得这两个大国的支持。楚成王得知这一消息后,轻蔑地笑了——他笑世上竟有宋襄公这等不自量力的人。他本想置身事外,一位大臣对他说:"宋襄公徒好虚名,我们恰好可以利用这一时机入主中原,夺取盟主之位。"楚成王听了,觉得非常有道理,便决定将计就计,答应参加会盟。

　　公元前639年秋,宋、楚、郑、卫、曹等国国君齐聚于宋国的盂地。宋襄公见大家应邀前来,非常高兴,认为霸主的位子已是自己的囊中之物。他乐呵呵地对大家说:"我们在此聚会的目的是仿效齐桓公,订立盟约,停止战争,共同辅助王室,以定天下太平。各位认为如何?"楚成王冷笑着说:"你说得很好,但不知这盟主由谁来担任?"宋襄公一看有门,就直截了当地说:"这事好办,有功论功,无功论爵,这里谁爵位高就让谁当盟主吧。"宋襄公为什么说这一番话呢?原来,宋襄公是周王封的公爵,在参与会盟的诸侯里面爵位是最高的,如果按爵论位的话盟主非他莫属。但是,他话音刚落,楚成王便说:"我楚国早就已称王,宋国虽说是公爵,但比王还低一等,所以,盟主这把交椅该由我来坐。"说罢也不谦让,一屁股就坐在了盟主的位子上。

　　宋襄公看得目瞪口呆,做梦也想不到会出现这么一幕。眼看自己的如意算盘落空,他不禁勃然大怒,指着楚成王的鼻子破口大骂:"我的公爵是天子所封,普天之下谁不承认?你那个破王是自封的,有什么资格做盟主?"楚成王毫不示弱,说:"你说我这个王是假的,那你把我请来干什么?"宋襄公气愤难耐,就指着楚成王辱骂不休。

　　楚成王大怒,一招手,陪同他来的大臣和侍卫们便都脱去外衣,露出了庐山真面目。原来他们个个都是内穿铠甲、暗藏利刃的士兵。楚成王一声令下，他们便冲上台来，把宋襄公给拘押了起来。

随后，楚成王指挥大军浩浩荡荡地杀奔宋国。幸亏宋国大臣早有防备，坚守城池，才挫败了楚成王一举灭宋的阴谋。楚成王见宋国军民一心，无机可乘，便胁持着宋襄公回楚国去了。过了好几个月之后，在齐国和鲁国的调解下，楚成王才把宋襄公放归回国。

这下宋国算是与楚国结下了梁子。宋襄公对楚成王恨得牙根痒痒，但苦于自己的实力不如人家，只得暂时忍气吞声，想要找个机会再报这一箭之仇。公元前638年夏，宋襄公不顾公子目夷与大司马公孙固的反对，出兵讨伐楚国的附庸国郑国。郑文公急忙向楚国求救。楚成王得到消息后，并没有去救援郑国，而是统领大队人马直接杀奔宋国而来。宋襄公听到消息后顿时慌了手脚，也顾不上攻打郑国了，带领宋军昼夜兼程地往回赶。等他赶

RANG QINGSHAONIAN YISHENG SHOUYI DE
ZHANZHENG GUSHI
战争故事

到泓水边时,楚国的兵马也已到了河对岸。宋国右司马购强对宋襄公说:"楚军到此只是为了救郑国,咱们既然已经从郑国撤军,他们的目的也就达到了。咱们国小兵弱,不能和楚国硬拼,不如讲和算了。"宋襄公却振振有词地说:"楚国虽然兵强马壮,可缺少仁义;我们虽然兵力单薄,却是仁义之师。不义之兵怎能胜过仁义之师呢?"说完,他特意命人做了一面大旗,绣上"仁义"二字,誓要用"仁义"来战胜楚国的刀枪。

第二天天刚亮,楚军就开始渡河了。购强对宋襄公说:"楚军多而宋军少,等他们渡河渡到一半时,我们突然杀过去,定能取胜。"宋襄公却不以为然,指着战车上的"仁义"之旗:"人家连河都没渡完就打人家,那算什么仁义之师?"等到楚军全部渡过河来,开始在河岸上布阵时,购强又劝宋襄公说:"趁楚军还没布阵,我们发动冲锋,还有机会取胜。"宋襄公闻听此话,竟拉下脸骂道:"你怎么净出歪主意!人家还没布好阵,你便打过去,那还能称得上仁义之师吗?"等到楚军布好阵,列队冲杀过来时,宋襄公这才率军迎面冲了上去。宋襄公一马当先,冲在最前面,却陷入了敌人的重重包围。实力弱小的宋军哪里是强大的楚军的对手?一番厮杀后,宋军受到重创,宋襄公本人大腿上也受了伤。在购强等人的拼死保护下,襄公才得以突出重围,狼狈地逃回宋国。

因为宋襄公的迂腐,宋国损兵折将,使得无数家庭陷入悲痛之中。宋国的老百姓都对宋襄公深恶痛绝,骂不绝口。兵败民怨,按理说就算是个糊涂蛋也该醒醒了。谁知宋襄公却一瘸(qué)一拐地边走边说:"讲仁义的军队就是要以德服人,我奉仁义打仗,不能乘人之危。不俘虏年迈的士兵,善待俘虏,这才是真正的仁义之师。"他身边的将士们听了,都暗骂他是个大草包。泓水之战三天后,宋襄公就因腿伤过重,带着满脑子"仁义"的用兵教条死去了。

泓水之战中，宋国损失惨重，从此一蹶不振。就连当年受过宋襄公恩惠的齐孝公也趁火打劫，借口宋国没有参加由陈国发起的颂扬齐桓公的盟会，兴兵伐宋。为形势所迫，宋国逐渐沦为大国的附庸，只能在楚国、晋国等大国的夹缝中苟延残喘了。

智慧点灯

本则故事改编自历史演义小说《东周列国志》，并参考了《韩非子》等史籍，讲述的是宋、楚两国为争夺中原霸权而进行的泓水之战。泓水之战是中国战争史上因指挥者思想保守、墨守成规而导致失败的典型战例之一。在春秋乱世中，诸侯争霸，战乱频仍，宋襄公不切实际地空谈古时君子风度，拘泥于古法，不懂得变通，竟至于在你死我活的战场上还处处为敌人着想。这种迂腐的做法不但害死了宋襄公本人，也使得宋国从此一蹶不振。

我们青少年应当吸取宋襄公的教训，敢于创新，善于创新。遇到困难时，我们要多换几种思维方式去思考，而不要墨守成规，死守信条，以至于沦为教条的奴隶。

越兴吴灭之战

　　春秋时期,位于长江中下游地区的吴国与越国领土相连,边境摩擦不断。随着两国国力的不断提升,两国间的领土纠纷也愈演愈烈,以至到了势不两立的地步。为此,两国统治者都产生了吞并对方的心思。

　　公元前496年,吴王阖闾(hé lǘ)趁着越国国君勾践刚刚继位、国内政局不稳之际,发兵攻打越国。越王勾践早有准备,举全国之力迎敌。战斗进行得相当激烈,越军拼死力战,奋勇杀敌,最终打败了吴军。吴王阖闾在战斗中被砍伤右脚,率领败军狼狈地逃回了国都。

　　回到吴国后,吴王阖闾自觉无颜面对国人,再加上伤势很重,不久就去世了。临终前,他把儿子夫差叫到身边,紧紧地抓着他的手说:"你可千万不要忘记越国的杀父之仇啊!"说完就断气了。夫差继位后,耳朵里总是回响着父亲临死前的嘱托。为了让自己牢记使命,夫差安排了十个人每天站在他出行的必经之路上,一见到他就高喊:"夫差,难道你忘记了勾践的杀父之仇了吗?"这时,夫差就会流着泪回答:"国耻父仇,我绝不敢忘!"

　　在国仇家恨的鞭策下,夫差励精图治,广招贤才,名将伍子胥等纷纷前来效力，使吴国逐渐走出了战败的阴影。经过三年的努力，吴国实力大增。而此时的越王勾践还沉浸在胜利后的安逸中，夜夜笙歌，根本没有注意到吴国的崛起。

公元前494年，吴王夫差在大臣伍子胥的辅佐下，率军征讨越国，在木叙山大败越军。越王勾践带领五千残兵败将逃到会稽山上，被紧追不舍的吴军团团包围。勾践知道大事不好，却又不想坐以待毙，便急召谋臣范蠡（lǐ）和文种商议对策。勾践对两位谋臣说："当初你们劝我防备吴国，我没有听你们的话。现在兵临城下，该如何才能保住越国的江山社稷（jì）呢？"范蠡说："吴国为报仇而来，主要目的就是洗雪以前的耻辱。要想不亡国，办法只有一个，那就是您亲自带着礼物到吴国去认罪，以满足他们的虚荣心。其他的事以后再说。"勾践知道事情已经到了非如此不可的地步，便派文种先带着大量礼物到吴国军中去求和。

文种来到吴军阵中，先用大量金银珠宝收买了吴国太宰伯嚭（pǐ）。伯嚭贪婪成性，见钱眼开，当即表示愿意为勾践说情。这之后文种才来到吴王夫差面前。他一再叩头，恭敬地说："我奉亡国之君的命令来给大王请安，冒昧地向您转达我主勾践的心愿。他愿意做您的仆人，日日夜夜为大王服务，并奉上越国所有的土地、人口、财宝，只求大王能免他一死。"夫差一听，顿觉扬眉吐气。他志得意满地说："我早就盼望着这一天了。勾践若能俯首称臣，我就饶他不死。"在旁的伍子胥一听，连忙上前奏道："大王，勾践是个奸诈小人。他说要投降不过是缓兵之计，大王千万不要上当！我们应该乘胜追击，将越国一举消灭，永绝后患。"夫差听他这么一说，迟疑起来。文种连忙向伯嚭使眼色，让他帮着说话。伯嚭于是走上前对夫差说："大王，我看勾践这次是有诚意的。如今楚国对我们虎视眈眈，我们必须及早结束对越国的战争。如果大王允许越王勾践做我们吴国的臣子，对我们成就霸业会十

分有利。"

　　夫差此行的目的已经达到,本已有心停战,听伯嚭这么一说,便接受了勾践的投降。不过,为了防止勾践复国,他要求带勾践及其妻子回吴国,并让他们做自己的奴隶。回去后,文种将夫差的要求告诉了勾践,勾践但求不死,便咬牙答应了。

　　勾践作为亡国之君来到吴国后,夫差让他们夫妻白天放养马匹,晚上为吴国先王守墓。他出行时,便让勾践在车前牵马,使勾践受尽了羞辱。勾践把仇恨埋在心里,表面上对吴王十分恭顺,暗地里却与范蠡、文种密谋早日归国。

　　范蠡、文种这边也没闲着。他们把越国第一美女,有沉鱼落雁之貌的西施献给吴王夫差做妃子;还经常用重金贿赂太宰伯嚭,请他在吴王面前多说好话。勾践本人在夫差面前也特别会表现。有一次,夫差生病了,太医为判断病情需要知道他的粪便的味道。夫差的亲信大臣都面有难色,勾践却主动要求尝粪。这使夫差大受感动。后来,在伯嚭的撺掇(cuān duō)和西施的蛊(gǔ)惑下,夫差一高兴,就把勾践放回越国去了。

　　勾践回国后,立志要光复越国,报仇雪恨。为了提醒自己不忘旧辱,他将一枚苦胆挂在自己的座位旁边,每次吃饭之前都要先尝尝。他常常提醒自己:"你忘了在吴国所受到的耻辱了吗?"励精图治的他开始广招贤才,热情地接待八方宾客,招揽了大量有德行有智谋的人来辅佐他。他还放下国君的架子,和老百姓们一起纺纱、种地,不吃肉食,不穿华丽的衣服。就这样,经过七年的发展,越国国力大增,开始伺机向吴国报仇了。此时的夫差很少过问朝政,只顾享乐,计划用五年的时间为宠妃西施修筑姑苏台。

　　又过了两年,吴王夫差听说齐国发生了内乱,便准备兴师伐齐,争霸中原。伍子胥进谏(jiàn)道:"大王,我听说这几年勾践和老百姓同甘共苦,阴谋复国。这个人若不除去,必将是我吴国的心头大患。至于齐国,对我们来

说不过是身上长的一个脓包罢了。大王若在此时弃越攻齐，那是舍本逐末啊！"夫差哪里能听得进去这样的话，仍一意孤行地去攻打齐国，结果侥幸得胜而归。他凯旋后，讽刺伍子胥道："寡人要是听你的，哪里会有今天的胜利？"伍子胥冷冷地说："攻打齐国只会消耗我们的实力，等越国打到门上来的时候，我们所有人就只能束手就擒了。"夫差闻听此言，很不高兴。伯嚭趁机大进谗言，污蔑伍子胥妄图谋反。昏庸的夫差信以为真，就派人去赐给伍子胥一把剑，让他自尽。伍子胥拿着那把剑，悲愤地对身边的人说："我死后，把我的头割下来，挂在国都的东门上。我要亲眼看看越国是怎样灭掉吴国的！"说罢便自杀身亡。

伍子胥死后，勾践君臣见时机已成熟，便于公元前 473 年举全国之兵讨伐吴国。吴国人做梦都没有想到，越国会有这么多的军队。而这时的夫差沉迷于酒色，也早已失去了当年的豪气。两国军队刚一交战，吴军便节节败

退。越军长驱直入，将吴王夫差一直赶到了姑苏山上。

这回轮到吴国求饶了。吴王夫差派大夫公孙雄下山求和。公孙雄裸露着上身，背负荆棘，跪着爬到勾践面前，说："无路可走的亡国之君夫差派我来向大王传递他的心里话。他以前得罪过您，现在给您赔不是，如果您肯高抬贵手放他一马，他愿忠心地做您的臣民。"勾践听公孙雄这么一说，不由得起了怜悯之心。范蠡觉察到了勾践的心思，大声说："难道大王忘记了这十多年是怎么过来的了吗？忘记了为了复仇我们越国千千万万的人所付出的牺牲了吗？您要是放了夫差，今天的夫差就是明天的您啊！"在他的提醒下，勾践翻然醒悟，断然拒绝了求和。

眼见求和失败，吴王夫差万念俱灰，只好拔剑自刎（wěn）。临死前，他嘶声喊道："我对不起伍子胥，也没脸见先王于地下！我死之后，把我的脸用三层布遮起来吧！"夫差死后，越王的军队随即攻入了吴国国都，并杀死了那个既贪财又好进谗言的大奸臣伯嚭。至此，吴国灭亡，越国占据了整个江南地区。

智慧点灯

本则故事改编自史书《吴越春秋》，并参考了电视剧《吴越争霸》。吴越争霸之战长达二十几年，其间吴、越两国各有兴衰，最终越国取得了长江中下游地区的控制权。

这次战争留下的典故轶闻很多，而且都非常精彩，像越王勾践卧薪尝胆的故事、浣纱女西施舍身救国的故事、伍子胥头悬国门的故事等等。吴越争霸之战还具有极强的戏剧性——吴王夫差胜而复败，越王勾践亡而复兴。这段历史貌似荒诞，实则却是必然，给人们留下了深长的思索。

纸上谈兵酿恶果

战国时期，实力一般的诸侯国赵国有一员骁勇善战的猛将，叫赵奢。他有勇有谋，多次打败来犯之敌，立下了显赫的战功。

赵奢有个儿子，叫赵括。赵括非常喜欢研读兵法，谈起行军打仗来头头是道，但却没有继承父亲务实的优良品性，长大后成了个只会说大话的空头军事家。

公元前262年，秦国派大将白起进攻韩国，占领了野王城（今河南沁阳），截断了韩国上党郡（今山西长治）和国都的联系。上党形势危急，驻守的韩军将领不愿意投降秦国，便派使者带着地图把上党献给了赵国。当时的赵国国君赵孝成王闻讯十分高兴，赶紧派出军队去接收了上党。秦国见煮熟的鸭子飞了，恼怒至极，派大将王龁（hé）包围了上党。此时的赵国，名将赵奢已经去世，乐毅等智勇兼备的将领重病在身，不能领兵打仗。赵王只得派老将廉颇率军迎敌。廉颇率领二十多万大军刚到达长平（今山西省高平市长平村），就听说上党已经被秦军攻占了。

廉颇戎马一生，有着丰富的统兵作战的经验，深知赵军实力不如秦军，

而且当前的形势也对赵军十分不利,于是命令兵士们修筑堡垒,深挖壕沟,准备跟远道而来的秦军长期对峙,以慢慢消耗秦军的力量。秦军劳师袭远,战略物资供应困难,如不能速战速决,极有可能会被赵军拖垮。秦军将领王龁急得犹如热锅上的蚂蚁,几次三番向赵军挑战。廉颇识破了秦军的鬼把戏,说什么也不出战。王龁想不出什么好法子,只好派人去向秦昭襄王请示:"廉颇老奸巨猾,一味坚守,不出来交战。我军远道而来,长期相持下去恐怕粮草会接济不上。下一步该如何行动,请大王明示。"

秦昭襄王接到王龁的战报后,也是苦无良策,便把相国范雎(jū)叫来,让他出主意。范雎说:"我听说廉颇是个非常善于用兵的将领,要想打败赵国,必须得想办法叫赵王把廉颇调回去。我还听说赵国的赵括是个只会夸夸其谈、没有什么真本事的家伙,如果他来当赵国的统帅,那么我们就必胜无疑了。"秦昭襄王疑惑地问:"这怎么能办得到呢?"范雎说:"大王放心,我有办法。"

范雎回府后,立即选派了一批间谍,让他们到赵国散布"廉颇老矣,赵括厉害"的谣言,并且花重金收买了赵国的大臣,让他们将谣言尽快传到赵王的耳朵里。

很快,谣言就在赵国的国都邯郸(hán dān)散播开了。大家都说:"廉颇已经老了,不中用了。他在前线跟秦国人眉来眼去,怕是想要投降秦国。其实秦国最怕的将领是赵括,要是让赵括代替廉颇统兵的话,秦军马上就会溃败。"没过几天,赵孝成王就听到了这些谣言。他信以为真,立刻把赵括找来,问他能不能击退秦军。赵括得意地说:"要是秦国派白起那样的名将来,那我还得考虑一下。如今来的是王龁,他跟廉颇比嘛,还算是旗鼓相当。但要是换我带兵的话,打败他易如反掌!"赵王听了很高兴,立即拜赵括为大将,让他去前线接替廉颇。

赵孝成王任用赵括为将的消息传到了老臣蔺(lìn)相如的耳朵里。蔺相如不顾年老体弱、重病在身，急忙去宫中面见赵孝成王，说："赵括只懂得死读兵书，不会临阵应变，也没有什么实战经验，派他去做大将，只会大败而归。老臣恳请陛下收回成命。"赵孝成王不以为然，觉得蔺相如是在危言耸听，根本没有把他的话放在心上。

紧接着，赵括的母亲也给赵孝成王上了一道奏章，请求赵王别派赵括去。在奏章里，赵母非常明确地阐述了不可让赵括当大将的理由："他父亲赵奢临终前再三叮嘱：'赵括这孩子把用兵打仗看作儿戏，谈起兵法来就眼空四海，目中无人。将来大王不用他还好，如果用他当大将的话，只怕赵军就断送在他手里了。'所以，我请求大王千万别让他当大将。"赵孝成王还是一意孤行。他让人回复赵母说："寡人已经跟赵括谈过了，他是一个很优秀的将军。你就放心好了，他一定不会辜负寡人的厚望的。"

赵母还是不肯放弃，又亲自去面见赵孝成王，说："以前赵奢为赵军将领时，深知士兵是取得战争胜利的关键，爱兵如子。所以大王赏赐的财物，他

全部都分发给他的部属,自己一个钱都不要。如今再看我儿子赵括,从大王任命他为主将的那一天起,就变得目空一切,盛气凌人。他那个派头把士兵们吓得头都不敢抬一下。就连我这个做母亲的,他也不放在眼里。大王给他的赏赐,他拿回去就藏在家里,看哪儿有中意的房产、地产,就毫不犹豫地买下来。他如此自私自利,哪里像他的父亲?别的不说,就他的这些作为,怎么配去当主将啊?"

赵母再三劝阻,却仍没能改变赵孝成王的心意。赵王很直接地对赵母说:"我已经决定了,你还是请回吧。"赵母见事情已无法挽回,只好请求道:"日后赵括如不称职,望大王不要株连老妇,也不要株连我们赵氏家族。"赵孝成王很爽快地答应了。

公元前260年,赵括领兵二十万到了长平。他新带来的二十万加上廉颇原有的二十万,总共四十万大军。廉颇心知事已不可为,办理了移交手续后就黯然回邯郸去了。大权在握的赵括统率着四十万大军,随意发号施令,作威作福,深感志得意满。他嘲笑廉颇原来的坚守战略是胆小怯战,将其抛弃不用,改为主动出击。廉颇刚走,他就声色俱厉地下了命令:"秦军若再来挑战,我四十万大军必须出战。打败秦军后,就乘胜追击,非杀得他们片甲不留不可。"

秦国相国范雎得知赵国用赵括替换廉颇的消息后,知道自己的反间计成功了,就建议秦王秘密派白起为上将军,去前线指挥作战。白起一到长平,就布置好了埋伏。他令手下先故意打几个败仗,步步后撤,引诱赵括上钩。赵括不知是计,拼命追赶。把赵军引进埋伏圈后,白起派出精兵两万五千人,切断了赵军的后路;另派五千骑兵直冲赵军大营,把四十万赵军切成了两段。赵括这下子尝到了秦军的厉害,却已完全丧失了优势,只好就地筑起营垒坚守,等待救兵。这时,他还没有意识到因为自己骄傲轻敌,赵军孤军深入,后路已经被切断了。

40多天过去了,赵军首尾不能相顾,粮草和援兵也不见踪影,人心涣散,军无斗志。士兵们饥饿不堪,只好以野草、树皮甚至人肉来充饥。平日里谈论起兵法来机变百出的赵括,此时却无计可施。最后,他硬着头皮组建了一支精锐之师,向秦军发起进攻,试图突出重围,结果大败,他本人也中箭而死。主将阵亡,赵军顿时全线崩溃,四十万人全都成了秦军的俘虏。白起告诉部下:"赵国军士反复无常,不如斩尽杀绝,永除后患。"后来,在白起的谋划下,四十万赵军竟全都被推入大坑中给活埋了。

消息传到赵国,举国震惊,朝野哀痛,国人无不痛骂赵括空谈误国。赵孝成王捶胸顿足,后悔莫及。他心里恨死了赵括,恨不得将他碎尸万段。幸亏赵母有言在先,否则整个赵氏家族恐怕都会受赵括连累而被赵王诛灭。

长平之败使赵国遭受了毁灭性的打击,而秦国则借由此战在统一全国的进程上迈进了一大步。

智慧点灯

本则故事改编自《史记·白起王翦(jiǎn)列传》及电视剧《长平之战》(2004 年),讲述了秦赵长平之战的始末。长平之战是中国战争史上的一个经典战例。秦国将领白起凭借杰出的军事指挥才能,一手策划了我国历史上时间最早、规模最大的包围歼灭战,给予赵军以毁灭性的打击。而赵国将领赵括因只会纸上谈兵,没有实战经验,轻敌冒进,最终导致赵国四十万大军全军覆没。

所谓"纸上得来终觉浅,绝知此事要躬行",统兵将帅的作战方略往往关乎国家的兴衰存亡,怎么能死搬教条,照本宣科呢?赵括如此行事,死不足惜。当然,对长平之败赵孝成王也是要负很大责任的。应该说,正是他的一意孤行把赵国四十万子弟送入了万人坑。这个教训真是太惨痛了!

破釜沉舟成霸业

秦朝末年，秦二世荒淫无道，奸臣赵高等人把持朝政，以致民不聊生，百姓生活在水深火热之中。公元前209年7月，陈胜、吴广在大泽乡起义，喊出了"王侯将相，宁有种乎？"的口号，率先举起了反抗暴秦的大旗。很快，全国各地的义军纷纷响应，大秦王朝摇摇欲坠。

同年9月，楚国的旧臣项梁与侄子项羽杀死会稽郡（今江苏苏州）的守城官员殷通，举旗起义，很快就募集到了八千多名战士。这些战士都非常英勇善战，被称为"江东八千子弟兵"。第二年，项梁、项羽率领八千子弟兵渡过长江、淮河，向中原地区进军，以配合陈胜、吴广的起义军。由于沿途不断有义军首领如英布、吕臣、刘邦等率部前来会合，这支起义军很快就发展到十余万人。

项梁的这支队伍由于军纪严明而深得民心，接连打了几场胜仗，后来还一举打败了秦朝的大将章邯（hán）。连战连胜，项梁有些飘飘然了，认为秦军没有什么了不起，放松了警惕。秦将章邯补充兵力后，趁项梁不备，发动了猛烈的反攻。项梁战死，项羽、刘邦等人退守彭城（今江苏徐州）。章邯打败项梁后,认为楚军元气大伤,已不足为患,就转而率军北上去进攻新复国的赵国了。英勇善战的章邯很快就攻下了赵国的国都邯郸(hán dān)。赵王歇被迫逃到巨鹿(今河北平乡西南)。章邯派部将王离率兵把巨鹿包围起来,准备一举将赵国消灭。

赵王歇势单力薄,根本不是秦军的对手,便几次三番地派人向当时各路义军名义上的首领楚怀王求救。为此,楚怀王与各路义军首领在彭城召开了紧急军事会议,决定分兵两路:一路由刘邦率领,向西直指关中;另一路以宋义为上将军,项羽为次将,范增为末将,率起义军主力北上救赵。

宋义率领二十万大军到达巨鹿南面的安阳(今河南安阳东南)后,听说秦军声势浩大,就命令军队停了下来。他想等秦军和赵军打得两败俱伤后,再发动进攻。二十万大军按兵不动,在安阳一停就是四十六天。项羽按捺不住,就去跟宋义说:"将军,秦军包围了巨鹿,形势非常危急。我认为我们应该尽快渡过漳水,与赵军来一个里外夹击,一举消灭秦军主力。"

宋义每日只管在大帐中饮酒,听了项羽的话后,非常不以为然。他醉醺醺地说:"项将军不要着急,我们还是等秦军和赵军决战以后再出动吧!上阵跟敌人交锋,我比不上你;不过要说坐在营帐里出谋划策,你就比不上我了。"其实,宋义这样做是有私心的——他想拥兵自重,自立为王。因此,他一方面把楚怀王的命令束之高阁,一方面加紧与齐国勾结。齐王田荣见他手握重兵,想要拉拢他,就说要请他的儿子宋襄到齐国去做相国。宋义高兴万分,亲自把儿子送到无盐(今山东东平),并在那里举行了盛大的告别宴会。回来后,他下了这样一道军令:"我是军中的主将,将士中若有不服从命令的,杀无赦(shè)!"

很显然,这道军令是针对项羽的。项羽气得要命,却又无可奈何。由于宋义的拖延,到十一月时,大军仍停驻在安阳。这时已进入冬季,天气寒冷,

又遭遇了大雨，粮草、被服都接济不上，士兵们受冻挨饿，怨气冲天。项羽见时机成熟，便悄悄地召集了几个校尉，对他们说："现在士兵们挨饿受冻，上将军却按兵不动，只顾自己饮酒作乐。这种不顾国家、不体恤（xù）兵士的人，哪里像个大将的样子？事不宜迟，我们应该早做决断！"校尉们异口同声地说："唯项将军之令是从！"大家很快就商定了一条计策。

第二天一大早，项羽披挂齐全，大步跨进宋义的大帐，再次要求他立即出兵救赵。宋义见项羽未经通报就闯了进来，大怒，呵斥道："我的军令已下，难道你要以头试令吗？"项羽怒目圆睁，大喝一声："我今天就要借你的人头发令！"说完便拔出宝剑，一剑斩下了宋义的脑袋。项羽一手提着人头，一手执着宝剑，走出大帐，对帐外的将士们说道："宋义私通齐国，贻（yí）误战机，我已奉怀王密令将他处死了。现在大家都要听从我的命令！"

大家心里都明白，其实根本没有什么怀王的密令，但一来都惧怕项羽的威猛，二来也都不满于宋义的胡作非为，所以都表示愿意服从项羽的指挥。项羽把军权牢牢掌握在自己手中后，便一面派人前去追杀正赶往齐国赴任的宋襄，一面把杀死宋义的事情报告给了楚怀王。楚怀王本来就只是个傀儡(kuí lěi)，对此无可奈何，只好封项羽为上将军。

夺取了兵权后，项羽便指挥大军与围困巨鹿的秦军展开了决战。他先派部将英布率领两万精锐士卒做先锋，渡过漳水，切断秦军运粮的通道，把章邯和王离的军队分割开来，然后亲自率领主力渡河。渡河之后，项羽命令将士们每人只带三天的干粮，并"破釜沉舟"——砸碎锅灶，凿沉渡船，以示背水一战，决不后退。他慷慨激昂地对将士们说："我们这次出战，有进无退，三天之内一定要打退秦军！"

项羽所表现出的英雄气概和坚强决心，大大地激励了将士们的士气。楚军把王离的军队包围起来，发起了一次又一次的冲锋。他们个个奋力死战，以一当十。巨鹿城内的赵军见援军到了，也打开城门杀出城来。两军里应外合，经过数次激烈的战斗，大破秦军，擒获了主将王离，杀了他的副将，成功地解除了巨鹿之围。

当时，前来救援赵国的共有十几路人马。可是他们由于害怕强大的秦军，都在巨鹿附近扎下营寨，不敢跟秦军交锋。当他们听到楚军惊天动地的喊杀声后，便都挤在壁垒上观战。——这就是成语"作壁上观"的来历。看到楚军横冲直撞杀进秦营，他们无不目瞪口呆。项羽打垮秦军后，各路将领纷纷来到项羽军营中，请求与他结盟。他们既惭愧又敬畏，在宴席上连头也不敢抬。大家都称赞项羽说："上将军神威冲天，勇猛盖世，自古及今没有第二个。我们都愿意听从您的指挥。"从这时起，项羽已在实际上成了各路反秦义军的首领。

巨鹿之战后,项羽抓住战机,派出得力干将于漳水南岸再次大败秦军。接着,他又亲率大军破秦军于汙(wū)水。在项羽的沉重打击下,章邯走投无路,不得不于公元前207年7月率二十万秦兵投降了项羽。

不久,项羽在彭城(旧称西楚)称王,自号西楚霸王,成就了辉煌的霸业。

智 慧 点 灯

本则故事改编自《史记·项羽本纪》,详细叙述了巨鹿之战的全过程。

巨鹿之战之所以在历史上具有重要的地位,原因有二:一、这是秦末农民战争所取得的一场巨大胜利,它基本上摧毁了秦军的主力,扭转了整个战局,为反秦斗争的胜利奠定了坚实的基础;二、项羽在这次军事行动中表现出了卓越的指挥才能,并借这一胜利赢得了崇高的声誉。《史记》载"项羽由是(指巨鹿一役)始为诸侯上将军,诸侯皆属焉"。这充分说明了此次战役在项羽的军事和政治生涯中的重要性。

周公瑾火烧赤壁

东汉末年，群雄并起。曹操一举平定北方的大军阀袁绍后，占领了中原大部分地区。而且他还"挟天子以令诸侯"，具备政治上的优势，可谓形势一片大好。

汉献帝建安十三年（公元 208 年），曹操率领大军南下，进攻荆州。当时，荆州牧刘表已经病死。他的儿子刘琮（cóng）见曹军声势浩大，吓破了胆，未做抵抗便率领荆州士民投降了。

刘备那时投靠于刘表门下，驻守樊城（今湖北襄樊），力量还比较弱小，谋士只有诸葛亮，武将只有关羽、张飞、赵云等。但刘备却不肯投降，而是奋起抵抗，跟曹操打了几仗。因力量对比悬殊，刘备几战皆输，丢掉了自己赖以立足的樊城。无奈之下，刘备决定把人马撤到江陵（今湖北江陵），以躲避曹军的锋芒。

曹操听说刘备向江陵撤退，又打听到江陵有大量的武器装备和粮草，便亲自率领五千名"虎豹骑"（曹操军中的精锐轻骑兵）追赶刘备。刘备的部队带着车马等各种装备，还要照顾随行的十几万百姓，每天只能行军十几

里,而曹操的骑兵一天一夜就赶了三百多里。很快曹军就在当阳长坂坡(在今湖北当阳东北)追上了刘军。刘军由于毫无准备,刚一照面就被曹操的骑兵冲了个七零八落。幸亏张飞抵挡了一阵,刘备、诸葛亮才得以带着少数人马安全撤离。不过,通往江陵的路此时已经被曹军截断了,刘备与诸葛亮只好改道进驻夏口(在今湖北武汉)。

曹操占领江陵后,并没有停下进攻的脚步,而是继续沿江向东进军,直逼夏口。刘备见形势危急,便派诸葛亮去向割据江东的孙权求救,并进而劝说两家联合抗曹。

诸葛亮赶到江东重镇柴桑(在今江西九江境内),在那里见到了孙权。他对孙权说:"曹操现在已经攻下了荆州,马上就要进攻江东了。将军如果不想失去江东的大好基业,就跟曹操断绝关系,跟我们一同抵抗他们;要不然,就干脆向他们投降。千万不要犹豫不决,否则大祸就要临头了。"孙权问道:"那刘将军为什么不投降曹操呢?"诸葛亮严肃地说:"我们主公是大汉皇室的后裔,还是当今天子的皇叔,才能盖世,怎么肯低三下四地去服侍曹操呢?"诸葛亮这是使了个"激将法",想以此来激励孙权联刘抗曹。果然,孙权听诸葛亮这么一说,马上变得激动起来:"我父兄三代经营江东,说什么也不能将这大好河山白白送人!"但是,他心中仍有疑虑:"不过,刘将军刚刚打了败仗,怎么能抵抗曹军呢?"诸葛亮胸有成竹地说:"将军请放心,我们主公虽然败了一阵,但还有水军主力两万,关羽、张飞等将领更是英勇无比,万人莫敌。曹操的兵马虽然多,但是他们不习水战,且劳师袭远,早已是筋疲力尽。只要我们同心协力,就一定能够打败曹操。"孙权听了诸葛亮的分析,觉得很有道理,就决定召集部下讨论联刘抗曹的事。

这时,曹操派使者给孙权送来了一封亲笔信。信上说:"我奉天子之命领兵南征,率水陆大军八十万,来和将军您在江东一起打猎。"显然,曹操这是在向孙权下战书。孙权让文武大臣们传看这封信，大家看完后都变了脸色，很长时间说不出话来。后来，大臣张昭打破了沉默，说："曹操用天子的名义来征讨江东，我们如果抵抗，在道理上就先输了一着；再者，曹军占领荆州后，获得了荆州上千艘战船，数万名水兵，我们凭借长江天险抵抗曹操的计划也由此化为泡影。依我看，只好投降了。""对，对，只有投降，才能保住我们江东父老的身家性命。"听张昭这么一说，不少人都随声附和起来。只有鲁肃（字子敬）冷眼旁观，一声不吭。

孙权听着不是滋味，但又不好说什么，就假装如厕，走了出去。鲁肃跟了出来。孙权拉着鲁肃的手，说："子敬，现在大家都说要投降，你说该怎么办呢？"鲁肃说："张昭他们说的话听不得。要说投降，我鲁肃可以投降，但主公绝不可以。因为我投降了，大不了回老家去，仍可以跟名士们交往，有机会的话还可以当州郡官员。主公如果投降，那么江东六郡将全部落入曹操的手里，您上哪里去呢？曹操能容得下您吗？所以，主公没有别的选择，只能抵抗！"

孙权听了，连连点头，说："刚才大家的话让我很失望，只有你说的才合我的心意。"鲁肃接着说："其实曹操并不可怕，他这次声称带来了八十万大军，实则只有十几万。我们手中有十万精兵，还有刘备这一外援，在实力上并不输于他。先王孙策说过：'内事不决问张昭，外事不决问周瑜。'您难道忘了吗？"孙权听了，忙派人去把在鄱阳湖操练水兵的大将周瑜（字公瑾）召回来商量对策。

周瑜到柴桑见到孙权后，慷慨激昂地说："曹操名为汉朝丞相，其实是汉室的奸贼。主公拥有数千里的地方，十几万的士兵，怎么能轻言投降呢？况且曹操这次南征，有许多不利条件：荆州水兵刚刚归附，曹操不敢大用；北方士兵不习水战，而且远道而来，一定会水土不服；现在天气寒冷，曹操的后勤供应

线太长,士兵吃不饱、穿不暖。在这样的条件下,曹操绝对不会成功!"

孙权听了周瑜的话,胆气也壮了。为表示自己的决心,他抽出宝剑"嚯"地一下把桌子砍去了一角,声色俱厉地说:"谁要敢再提投降二字,下场就同这张桌子一样!"不久,孙权即任命周瑜为都督,拨给他三万水军,叫他同刘备合力抵抗曹操。

周瑜领命进军,在赤壁(在今湖北境内)与曹军的前哨遭遇。不出周瑜所料,曹军有很多人水土不服,得了疫病,严重影响了战斗力。双方刚一交锋,曹军就吃了败仗,被迫撤退到长江北岸。周瑜率领水军进驻长江南岸,和曹军隔江对峙。曹军大都来自北方,不习水战,在随着风浪摇摆的战船上站都站不稳。曹操为此非常苦恼,但是一直没有想到好办法。有谋士向曹操建议,把大小船只用铁链拴在一起,进则同进,退则同退,士兵们在船上就可以如履平地了。曹操觉得这个建议可行,便下令照办。

当时是冬天,正是枯水期,江面缩小。驻守南岸的江东大将黄盖看到曹军的这一新举措后,就去向周瑜献策说:"敌人兵多,我们兵少,这样拖下去对我们不利。如今曹军把战船都连在了一起,我看我们可以用火攻来对付他们。"周瑜觉得这个主意很好,便令黄盖为先锋,积极准备火攻。黄盖深知火攻的计策虽然可行,但这需要自己的火船尽量接近敌人的战船,否则火攻不但不能奏效,还可能给自己的船队带来危险。为了成功地实施火攻,他决定向曹操写信诈降。周瑜积极跟他配合,与他合演了一出"苦肉计"——黄盖假装违犯军纪,被周瑜打得皮开肉绽,卧床不起。接着,黄盖派人送了一封信给曹操,表示自己受不了周瑜的气,要脱离东吴投降曹操。曹操派人打探了一下情况,发现事实确实如此,就决定接受黄盖的"投降"。双方约定好了投降的时间和暗号。

黄盖见已取得了曹操的信任,便叫士兵偷偷地准备好数十艘轻快的船

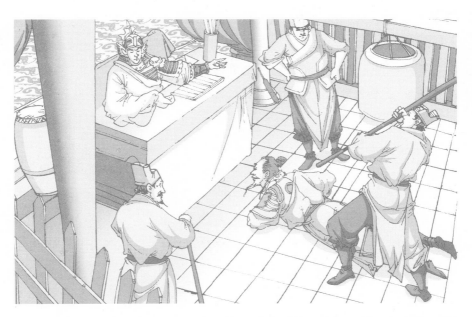

只,将船上都装满枯枝、芦苇,并浇足鱼油,再在外面裹上布,插上旗帜,准备在接近敌船时点火烧船。

约定的日子到了。这天晚上,黄盖带领士兵分乘十条大船驶在前面,后面紧紧跟随着一批火船,朝曹营驶去。本来曹操处在上风头,隆冬季节没有南风可刮,但那天天气突然回暖,刮起了东南风。黄盖的船队到了江心后,立马扯满风帆,像箭一样地冲向江北。曹军水寨的将士听说东吴大将来投,纷纷挤到船头看热闹。没想到,东吴船队距北岸约二里光景时,突然同时起火,都像一条条火龙一样,钻进了曹军水寨里。曹军猝(cù)不及防,战舰又被铁链连在一起,轻易动弹不得,一眨眼工夫就被烧成了一片火海。大火借着风势蔓延,连江北的陆军营寨也被烧着了。曹军顿时乱作一团,一大批士兵被活活烧死,还有不少被挤到江中淹死了。

周瑜见北岸起火,马上带领精兵渡江进攻。刘备也带领军队从不远处的樊口杀来。孙刘联军把战鼓擂得震天响，北岸的曹军不知道对方有多少人马，全线溃退。曹操见势不妙，便带着残兵败将向华容道（今湖北潜江县西南）逃跑。通往华容道的小路上全是水洼泥坑，骑兵没法通过。曹操为了保住老本"虎豹骑"，命令疲弱的士兵去背草填路。那些士兵或累毙路边，或被骑兵践踏，陷在泥中，死伤无数。刘备和周瑜分水陆两路紧紧追赶，一直追到南郡（在今湖北江陵）。结果，曹操的十几万大军在此次战斗中损失了一大半。曹操又气又急，但见败局已定，自知无力回天，只好派部将曹仁、徐晃、乐进等人留守江陵和襄阳，带兵退回北方去了。

赤壁大战后，曹操的实力大为削弱，再也无力发起对江南的战争；刘备则趁势占领了荆州等地，站稳了脚跟；孙权也巩固了在江东地区的统治，实力大增。至此，三国鼎立的局面初步形成。

智 慧 点 灯

本则故事根据史书《三国志》和小说《三国演义》改编而成。赤壁之战是中国历史上非常著名的战役。大导演吴宇森曾以赤壁之战为题材拍摄了史诗电影《赤壁》。赤壁一战，曹操自负轻敌，指挥失误，加之部下不习水战，终致失败。孙权、刘备面对强敌能冷静分析形势，结盟抗敌，发挥水战之长并巧用火攻，创造了中国军事史上以弱胜强的著名战例。

赤壁之战留给我们的最大启示是"骄兵必败"。实际上，当时曹操势大力强，完全有可能避免这场失败，但他被胜利冲昏了头脑，追求速胜，结果就栽了个大跟斗。由此看来，曹操不是被孙刘联军打败的，而是败于自己的骄傲自大。至于曹操后来分析战局时所说的"赤壁之役，值有疫病，孤烧船自退"，不过是他为掩饰失败而寻找的借口而已。

诸葛亮七擒孟获

三国末期,刘备誓要为关羽报仇,举全国之兵征伐东吴,结果惨败而归。不久,刘备在白帝城(在今重庆奉节)病死。临终前,刘备将太子刘禅托付给了诸葛亮。

刘备死后,诸葛亮回到成都,扶助刘禅登上了帝位,史称蜀汉后主。刘禅即位后,拜诸葛亮为丞相,把朝廷内外的事不论大小都交给他来处理。诸葛亮兢兢业业地治理国家,使蜀国的国力不断增强。当时,蜀国境内的南中地区被少数民族部落控制着。他们趁刘备病重时发动了叛乱,直到后主继位后,叛乱仍没有平复。政局基本稳定后,诸葛亮决定亲自带兵平定南中。

蜀汉建兴三年(公元225年),诸葛亮率领大军南征。诸葛亮的好友马良之弟、参军马谡(sù)送诸葛亮出城,一直送了几十里。临别的时候,诸葛亮握住马谡的手,恳切地说:"我们相处好几年了。今天临别,您有什么好计策告诉我吗?"马谡说:"南中地区地势险要,离都城又远,自然不愿服从朝廷的管辖。我们即使用武力征服了他们,只要大军一退,他们还是要造反的。因此,彻底平定南中的办法只有一个,那就是攻心为上,攻城为下。丞相这

次南征,武力固然重要,但更重要的是要叫南人心服口服。"诸葛亮听了,连连点头,说:"这个计策确实精当! 要想一劳永逸地解决南中问题,只能这么做。"

诸葛亮充分了解了南中地区的人文地理,熟悉了各少数民族部落的情况后,派李恢、马忠两员大将分两路进击。不到半个月的时间,南中四郡的叛乱就被平定了,但是战争还远远没有结束。南中地区有一个少数民族首领,名叫孟获。他骁勇善战,在南中地区的各部落中很有威望。虽然当时叛乱已被平定,但这个孟获却纠集了一部分部落武装,倚仗有利的地势,顽固地与蜀汉为敌。

诸葛亮领军到了南中之后,并没有急于与孟获交手,而是从侧面进军,渐渐地把孟获的军队逼到了越嶲(jùn)郡境内。随即,诸葛亮发动了对孟获的正面进攻。蜀军前锋在和孟获交锋的时候,故意败退下来。孟获见蜀军如此不堪,仗着熟悉地形,一股劲儿地向前猛追,结果中了蜀兵的埋伏,所率部队被打得四处逃散,他本人也被活捉了。

孟获被押到了蜀军大营。他心里想:这回一定是没有活路了。没想到一进大营,诸葛亮就叫人给他松绑,并好言好语地劝他归降。孟获很不服气,说:"是我自己不小心中了你们的埋伏,若是真刀真枪地干,还不知道谁会赢呢! 如此怎能令人服气?"诸葛亮笑了笑,并不与他争辩,只是带着他在蜀军大营里转了一圈。蜀军营垒坚固,旗甲鲜明,气势威武雄壮。孟获看了,暗暗心惊,同时心中却想:我何不就此探明敌营的布置,再寻机逃出去,带兵前来偷袭呢? 诸葛亮问孟获:"你看我们的人马怎么样?"孟获故作傲慢地说:"像这样的阵势我见多了,你们也不过尔尔。如果你敢把我放回去,打赢你们易如反掌!"诸葛亮爽朗地笑了笑,说:"好,既然这样,那我就放你回去。你好好地准备一下,我们再交锋吧!"

　　孟获没想到诸葛亮真的会放他回去，欣喜若狂，立即跨上战马，只身回到了部落。他重新召集了部落的兵士，准备根据在蜀军营中所了解到的情况趁夜偷袭蜀军。

　　这天夜里，月色昏暗，孟获让士兵把挂在马脖子上的铃铛摘掉，给马蹄子包上棉布，悄悄地摸近了蜀营。远远看去，只见蜀营内戒备松懈，有不少士兵正在帐内饮酒。孟获大喜，立即发动了进攻。他大声喊道："活捉诸葛亮者，赏金百两！"蜀军见有敌人偷袭，顿时乱了起来，士兵们四散而逃。孟获率领军队杀入蜀军营内，见营内虽灯火通明，却不见一个敌人。孟获顿时醒悟过来，心知中了埋伏，连忙指挥军队后撤。这时只听一声锣响，李恢率军从左面杀来，马忠率军从右面杀来，诸葛亮率中军在前，将孟获包围了起来。孟获本是个有勇无谋的人，哪里是诸葛亮的对手，就这样又一次被蜀军活捉了。

不一会儿，卫兵把孟获押入了大营。诸葛亮像上一次一样给他松了绑，笑着说："用兵之道，在于虚实相生。上次我看你暗暗探视我军阵营，知道你回去后一定会带兵来偷袭，就将计就计设下了圈套。不知这次你服还是不服？"孟获大叫："用阴谋诡计来算计我，非大丈夫所为！你敢再放我出去，我们再斗一次吗？""哈哈……"诸葛亮闻言大笑，"别说放你一次两次，就是三次四次，你能奈我何？来人，放孟获出营！"蜀军将领虽不情愿，但又不敢与丞相争执，只好把孟获放了。

孟获回去后又纠集手下去进攻蜀军，结果连战连败，被蜀军捉了第三次、第四次、第五次。每一次孟获都不服气，而诸葛亮也不为难他，捉几次就放几次。蜀军将领都感到非常的不解，便去找诸葛亮询问是何缘故。诸葛亮笑着说："南方是蛮荒之地，各部落的叛军大多分散在深山野林里，极难围剿（jiǎo）。现在，孟获纠集各地叛军前来与我们交战，我们正好可以趁此机会把他们全部收服，让他们感受到朝廷的恩德。"众将领这才理解了诸葛亮的苦心。

第五次被放以后，孟获跑到一个叫"秃龙洞"的险要之地躲了起来，心想再也不能蛮干了，得想个好计策击退蜀军，否则自己在各部落中的威信就该彻底丧失掉了。于是，他到处招兵买马，并将大象武装起来，派上阵去。开始时，蜀军没见过这样的巨兽，吃了败仗。后来，诸葛亮让人做了数十乘狮子状的战车，把它们的外部涂满油彩，打扮得凶恶狰狞，让兵士躲在战车里面施放火箭，结果大破象阵，第六次擒住了孟获。此时的孟获虽说嘴上不服，但心里已经被折服了。他对诸葛亮说："请丞相再放我一次，如若战败，我就心服口服地投降。"诸葛亮答应了孟获的请求，又把他放了回去，只是说："这次请将军遵守诺言。"

这一次，孟获使出了杀手锏，请来了号称战无不胜的藤甲兵。藤甲兵就是穿着在油里浸润了很久、用藤做的铠甲的士兵。这种铠甲非常坚固结实，刀枪不入。在这支精兵的帮助下，孟获又一次前去攻打诸葛亮的大军。诸葛亮采取诱敌深入的计策,将藤甲兵引入了堆满芦苇、木柴的山涧。随着诸葛亮一声令下,山涧两侧火箭齐发。浸了油的藤甲一遇到火就呼呼地烧了起来,藤甲兵被烧死无数。蜀兵第七次捉住孟获后,诸葛亮派人去对孟获说:"丞相羞于和你见面了,让我们放你回去,好让你再招人马来决一胜负。"孟获流着眼泪说:"七擒七纵,自古以来都没听说过。我虽然是边野之人,却也懂得礼仪,难道真这般不知羞耻吗?"后来,他率兄弟妻子及各部族首领,跪拜在诸葛亮面前,发誓永远归服,绝不再叛。南中地区就这样平定了。

诸葛亮平定南中后,让孟获和各部落的首领照旧管理他们原来的地盘。众将觉得这样不妥,就对诸葛亮说:"我们好不容易征服了南中,为什么不派官吏来,反倒仍旧让这些头领管理呢?"诸葛亮说:"我们派官吏来,没有好处,只有不便。因为派官吏,就得留兵。留下大批士兵,粮食接济不上,叫他们吃什么?再说,现在刚刚打完仗,当地人死伤较多,各部落百姓都有怨气。如果我们留下官吏统治,一定会发生祸患。现在我们不派官吏,不留军队,让各部落自己管理自己,汉人和各部落相安无事,岂不更好?"大家听了诸葛亮的话,都心悦诚服,钦佩他想得周到。

智 慧 点 灯

本则故事改编自历史小说《三国演义》。诸葛亮七擒七纵孟获的故事在史书中确有记载。《资治通鉴》中说:"七纵七擒,而亮犹遣获。"这一战展现了诸葛亮非凡的气度。在《三国演义》中,罗贯中更是将这一故事描写得有声有色。其实,这场战争最出彩的地方在于"攻城为下,攻心为上"的军事策略的制定,是它使得诸葛亮一举平定南中,巩固了蜀国的大后方。此后,南中"终亮之世,夷不复反"。

草木皆兵　风声鹤唳

西晋王朝是个短命的王朝,于公元265年建立,到公元316年就灭亡了。中国因而陷入了分裂。公元317年,晋琅琊(láng yá)王司马睿在建康(今江苏南京)称帝,建立了偏居南方一隅的东晋王朝。北方的匈奴、鲜卑、羯(jié)、氐(dǐ)、羌(qiāng)等少数民族首领也纷纷称王称帝,使整个北方地区陷入了割据混战的混乱局面。在这种形势下,占据陕西关中一带的氐族统治者以长安(今陕西西安)为都城,建立了前秦政权。

公元357年,前秦统治者苻(fú)坚自立为"大秦天王",推行了一系列改革政治、发展经济、加强军事的措施,在一定程度上实现了富国强兵。在此基础上,苻坚积极向外扩张势力,先后灭掉前燕、代、前凉等割据政权,初步统一了北方地区。这一系列的成就使得苻坚的野心越来越大。为了一统天下,他决定举全国之兵攻打东晋。

此时的东晋王朝偏安江南,君臣天天过着醉生梦死的生活。听到前秦前来进攻的消息,朝野上下都吓得惊慌失措。幸好宰相谢安头脑清醒。他积极备战,派将领胡彬、谢石、谢玄等人分兵三路,迎击前秦军队。胡彬率领水军沿着淮河向寿阳(今安徽寿县)进发。在得知寿阳已经被前秦的前锋苻融攻破后,他只好退到硖石(今安徽凤台)安营扎寨,等待与谢石、谢玄的大军会合。苻融派部将梁成率领五万人马进攻洛涧(今安徽淮南),截断了胡彬水军的后路。胡彬的水军被围困了起来,军粮一天天减少,情况十分危急。

胡彬派士兵送信给谢石告急,说:"敌人来势凶猛,我军粮食将尽,恐怕没法与大军会合了。"送信的晋兵偷偷越过秦军阵地的时候,被秦兵捉住了,告急信落到了苻融手里。苻融看过信后,立刻派人到项城(在今河南沈丘南)去告知苻坚。苻坚得到消息后高兴万分,认为这是一个消灭晋军的绝好机会,便把大军留在项城,亲自率领八千名骑兵火速赶到寿阳,恨不得一口把晋军吞掉。而此时,谢石与谢玄的大军也赶到了寿阳城边。

苻坚见东晋军队势单力薄,就派使者到晋军大营去劝降,想兵不血刃地打败晋军。这个使者不是别人,正是几年前在襄阳坚决抵抗过秦军、后来兵败被秦军俘虏的朱序。朱序被俘以后虽然被苻坚收用,在前秦做了尚书,但心里还是向着东晋的。他来到晋营,见了谢石、谢玄就像见了亲人一样高兴,不但没按照苻坚的嘱咐劝降,反而向谢石提供了秦军的情报。他说:"这次苻坚发动了百万人马。如果他的人马全部到达,恐怕晋军是没法抵挡的。还好,现在他们的人马还未到齐,在寿阳的部队不多。如果你们在这个时候发起进攻,打败他们的前锋,挫伤他们的士气,就有把握击溃他们了。"

朱序走后,谢石考虑再三,认为寿阳的秦军兵力很强,没有必胜的把握,还是坚守为好。谢安的儿子谢琰则劝说谢石听从朱序的意见,尽快出兵。谢石、谢玄经过一番商议,决定派北府兵(东晋王朝招募北方的流民组成的精锐部队,负责保卫北方边界)名将刘牢之率领精兵五千,先对洛涧的秦军发起突然袭击。北府兵果然名不虚传,个个勇猛非凡。他们像插了翅膀的猛虎一样,强渡洛涧。驻守洛涧的秦军不是北府兵的对手,勉强抵挡了一阵

便败下阵来，秦将梁成也被晋军斩杀。洛涧大捷极大地鼓舞了晋军的士气。谢石、谢玄一面命刘牢之率北府兵继续援救硖石的胡彬水军，一面指挥大军来到淝水（在今安徽寿县）东岸，驻扎在八公山边，和寿阳的秦军隔岸对峙。

苻坚见劝降不成，反而丢了洛涧，像挨了一记闷棍一样，有点儿沉不住气了。他让苻融陪着他到寿阳城楼上去察看对岸的形势。来到城楼上，他放眼望去，只见对岸晋军的营帐排列得整整齐齐，阵容严整威武。再往远处看，对面的八公山上影影绰绰，不知道藏有多少晋兵。其实八公山上并没有晋兵，是他心虚眼花，把八公山上的草木都看作晋兵了。苻坚有点害怕了，转过头对苻融说："敌人确实非常强大啊！怎么能说他们弱小呢？"之后，苻坚便命令秦兵严密防守，不可轻易出战。

晋军没能渡过淝水，谢石、谢玄十分着急。再拖延下去，等各路秦军到齐，局势将会对晋军不利。这时，朱序派人送来了一封信，给谢石等人出了个主意。谢石等人看过信后非常高兴，遂按照朱序的计谋派人给苻坚送去一封信，信上说："你们统率大军深入大晋，现在却在淝水边摆下阵势按兵不动，这难道是想打仗吗？如果你们能把阵地稍稍往后撤一点，腾出一块地方让我军渡过淝水，我们双方就可以在战场上一拼高下了。这才算是有胆量呢！"苻坚看完信后心想，要是不答应后撤，那不就等于承认畏惧晋军了吗？他马上召集众将商议对策，说："晋军既然要我们让出一块阵地，那我们就让吧。等他们渡河渡到一半的时候，我们就派骑兵冲上去，保管能把他们消灭。"大家都觉得这是个好主意，都分头回去做准备去了。

谢石、谢玄得到苻坚答应后撤的回音后，十分高兴，迅速整顿好了人马，准备渡河。

约定渡河的时刻到了，苻坚一声令下，苻融便指挥秦军开始后撤。他们本想撤出一块阵地就回过头来发动总攻，没想到许多秦兵本来就厌恶战争，一听到后撤的命令撒腿就跑，再也不想停下来了。谢玄趁机率领八千多骑兵，飞快地渡过淝水，向秦军发动了猛攻。这时，朱序在秦军阵后叫喊起来："秦兵败了！秦兵败了！"后面的士兵并不知道前面的情况，只看到前面的秦军在拼命地后撤，还以为他们真的战败了，顿时乱了阵脚。

　　苻融气急败坏地挥舞着宝剑，想压住阵脚，但士兵们像潮水般地往后涌来，哪里还弹压得住？一群乱兵冲来，把苻融的战马冲倒了。苻融正挣扎着想站起来，就被从后面赶上来的晋兵给一刀砍死了。主将一死，秦兵更是像脱缰的惊马一样，四处乱奔。苻坚见情况不妙，赶紧骑上马拼命地逃跑。一支流箭飞来，射中了他的肩膀。苻坚顾不得疼痛，只管催马狂奔，一直逃到淮北才松了口气。秦兵没命地溃逃，被挤倒踩死的不计其数。那些逃跑的士兵吓破了胆，一路上听到风声和空中的鹤鸣声，也以为那是东晋追兵的喊杀声，根本不敢停下来。

谢石、谢玄收复寿阳后,派人飞马赶往建康报捷。捷报送到的那天,谢安正在家中跟一个客人下棋。他看完捷报,不动声色地随手把它放在床上,继续下棋。客人知道这是前方送来的战报,忍不住问道:"战况怎么样?"谢安慢吞吞地说:"孩子们把秦军打败了。"客人听了,激动得无法再下棋,想要赶快把这个好消息告诉别人,就匆匆地告别了。谢安送走客人转回内宅时,再也按捺不住兴奋的心情。跨过门槛的时候,他把脚上木屐的齿碰断了,而他竟没有察觉。

这场大败令强大的前秦元气大伤。苻坚逃到洛阳后,收拾残兵败将,发现只剩下了十几万人。后来,鲜卑族的慕容垂和羌族的姚苌背叛了前秦,各自建立了新的国家——后燕和后秦。苻坚本人也被姚苌杀害了。

智慧点灯

本则故事根据《晋书》等相关史料改编而成。淝水之战是偏安江左的东晋王朝同北方氐族贵族建立的前秦政权之间的一次战略性大决战。弱小的东晋军队临危不乱,利用前秦统治者苻坚战略决策上的失误和前秦军队战术部署上的不当而大获全胜,从而造就了这一中国历史上以弱胜强的著名战例。

苻坚的惨败源于他的骄傲自大,主观臆断,一意孤行;而东晋的胜利来自军事统帅临危不乱,从容应对,并借助天时地利,灵活地发挥自身的长处。这告诉我们青少年,平时一定要谦卑立身,遇到困难时要从多方面考虑,不打无把握之仗。

郭子仪单骑退回纥

唐玄宗天宝十四年（公元 755 年），身兼汉阳、平卢、河东三镇节度使的安禄山悍然发动叛乱。叛军所到之处赤地千里，致使中原地区动荡不安，唐王朝陷于危急之中。唐玄宗起用著名将领、朔方（唐方镇名，辖区在今宁夏境内）节度右兵马使郭子仪等将领率军平叛。经过一年多的苦战，郭子仪将安禄山、史思明等人的叛乱逐一平定，使唐朝统治得到了巩固。后来，郭子仪因战功显赫而被封为代国公。

郭子仪手下原有一名大将，名叫仆固怀恩。他在安史之乱中立过战功，曾与回纥（唐时北方少数民族之一，"纥"音 hé）兵一起击败过史思明的儿子史朝义，官至河北副元帅、朔方节度使等职。后来，仆固怀恩因没有得到想要的官职而对朝廷十分不满，暗中准备反叛。他的母亲得知消息后，骂他忘恩负义，甚至举起刀要杀他。但他仍不知悔改，派人与回纥和吐蕃（唐时西南少数民族之一，"蕃"音 bō）等少数民族部落联络，欺骗他们说："代国公郭子仪已经被太监鱼朝恩杀害了。如果我们现在联合起来反唐，一定能推翻皇帝，平分天下！"当时，回纥等部落由于都惧怕勇猛的郭子仪，所以一直不

敢图谋不轨,如今听说郭子仪去世了,就在仆固怀恩的撺掇(cuān duō)下,纠集了几十万大军进攻长安。在进军长安的路上,仆固怀恩突然得急病死了。但回纥和吐蕃联军仍不改初衷,继续向长安进军。唐军抵挡不住,回纥和吐蕃联军一直打到了长安北边的泾阳(今陕西泾阳)。

消息传来,唐代宗感到十分震惊。太监鱼朝恩劝唐代宗逃出长安,唐代宗也有心逃跑,后来由于大臣们反对才没有逃成。大家都认为,要想打退回纥、吐蕃,只有依靠郭子仪。唐代宗听从了朝臣们的建议,急调郭子仪到泾阳指挥唐军作战。

郭子仪抵达泾阳后,没有仓猝(cù)出战,而是一面吩咐将士们构筑防御工事,一面派探子去侦察敌军的情况。几天后,各路探子回到中军,向郭子仪报告了敌人的动向。郭子仪根据侦察到的情况分析:回纥和吐蕃两支大军虽说是联军,但是两军之间分歧严重;他们本是仆固怀恩撺掇来的,现在仆固怀恩一死,他们谁也不愿听谁的指挥,两股力量根本捏不到一块去。

基于这一判断,郭子仪决定采取分化敌人、各个击破的办法,首先瓦解回纥与吐蕃的联盟。回纥的将领过去跟郭子仪一起平定过安史之乱,大部分都跟郭子仪认识。因此,郭子仪决定先把回纥将领拉拢过来。当时的现实情况是:要想让回纥将领退兵,必须先让他们相信郭子仪还活着。于是当天晚上,郭子仪就让部将李光瓒潜入回纥大营,去见回纥都督药葛罗。

到了回纥军营之后,李光瓒对药葛罗说:"郭令公令我来问你,回纥本来和唐朝友好相处,为什么你们要听坏人的话来进攻我们呢?"药葛罗闻言大吃一惊:"什么?郭令公还活着吗?我听说郭令公早就被鱼朝恩杀了,你别骗人了!"李光瓒告诉药葛罗:"郭令公现在就在泾阳,你听到的都是谣言。"但是药葛罗说什么也不相信,坚持说:"要是郭令公真在这里,那就请他亲自来和我见个面吧。"

　　李光瓒回到唐营，把回纥人的疑虑向郭子仪说了。郭子仪徐徐说道："既然这样，那我就亲自走一趟，也许能劝说回纥退兵。"众将觉得这个办法可行，但是又认为让主帅孤身一人到敌营去太冒险了。李光瓒提议道："回纥人野蛮成性，万一他们恼羞成怒，动起手来，恐怕会对大人不利。我建议挑选五百个精锐的骑兵跟大人一起去。"郭子仪摆了摆手，说："不行！带这么多的兵去反而会让他们觉得我们心中胆怯，底气不足。只要几个校尉陪我一起去就可以了。"说着，他就命令士兵给他牵过战马来。

　　郭子仪的儿子郭晞（xī）上前拦住他说："父亲，您老人家现在是军中的主帅，怎么能轻易去虎口冒险呢？"郭子仪斩钉截铁地说："现在敌人兵强马壮，我军兵少粮缺，要真的打起来，不但我们父子俩的性命难保，国家也要遭难。我这次去，如果谈判成功，那就是大唐的幸运；如果我有什么三长两短，也可以激起众将士的复仇之心，从而一举击溃敌军！"说罢，他跳上马，扬起鞭子向郭晞拦马的手打去。郭晞一缩手，刚要再说点儿什么，郭子仪的马已经撒开蹄子向敌营跑去了。

　　郭子仪一面带着几个随从向回纥军营的方向疾驰，一面让随从们高举"郭"字大旗并大声呐喊："郭令公来了！郭令公来了！"回纥士兵远远地望见有几个人骑马奔来，又隐约听见吆喝声，赶紧去报告了都督药葛罗。药葛罗和回纥将领们闻讯大吃一惊，以为唐军要来进攻，连忙命令士兵摆开阵势，拈弓搭箭，准备迎战。不一会儿，郭子仪来到了阵前。他和随从们摘下头盔，卸掉铁甲，把刀枪都扔在地上，拉紧马缰缓缓向回纥军营走了过来。

　　药葛罗和将领们目不转睛望着来人。等郭子仪走到营门前时，他们不由得异口同声地叫了出来："啊，真是郭令公他老人家来了！"大家忙一起迎上前去，围住郭子仪下拜行礼。

郭子仪面不改色心不跳，大步走上前去，握住药葛罗的手，和气地说："你们回纥人曾经给唐朝立过大功，朝廷待你们也不错，为什么要帮仆固怀恩闹叛乱呢？我今天到这里来，就是为了劝你们悬崖勒马。我现在是一个人到这儿来的，随时准备被你们杀掉。但是如果真弄到那一步的话，我的将士们会跟你们拼命的。"

药葛罗听了这番话，羞得面红耳赤，抱歉地说："我们受了仆固怀恩的欺骗，以为皇帝和令公都已不在，中原没有能人了，这才跟着他来到这里。现在仆固怀恩已被上天诛杀，皇帝还好好地待在长安城里，郭令公又统兵在此，我们怎敢再与大唐雄师作对呢？"

郭子仪察言观色，见药葛罗态度还算诚恳，便鼓动他说："吐蕃和唐朝是亲戚关系，现在却来侵犯我们，掠夺我们百姓的财物，实在是倒行逆使。我们决心回击他们！如果你们能帮我们打退吐蕃，你们的功业一定会被载入史册。朝廷给你们的封赐也会非常丰厚的。"

药葛罗本就与吐蕃不和,听了郭子仪的话,正中下怀,连连点头说:"我们一定替令公出力,将功补过!"

郭子仪和药葛罗说着话时,两边的回纥将士怕发生什么变故,都慢慢地围拢了过来。郭子仪的随从们一看,登时紧张起来,都握紧拳头挨到了郭子仪身边,想要贴身保护他。

郭子仪镇定地挥了挥手,叫随从们让开,然后便请药葛罗叫人拿酒来。药葛罗的左右送过酒来,郭子仪先端起一杯,把酒洒在地上,起誓说:"大唐天子万岁!回纥可汗万岁!从现在起,我们两军结盟,共同驱逐吐蕃。如果有一方不守盟约,必死于刀剑之下!"药葛罗也跟着郭子仪起了誓,洒了酒。随后,宾主双方把酒言欢。

一个时辰后,郭子仪起身向药葛罗告辞。药葛罗亲率侍卫把郭子仪一行送到十里之外。郭子仪回到唐军大营时,只见李光瓒等将领全副武装,正焦急地在营门外等候着他。见主帅安然无恙(yàng),他们才松了一口气。郭子仪的儿子郭晞帮父亲脱掉盔甲,见他里面的麻衣都已被汗水湿透了。

很快,郭子仪单骑造访回纥军营的消息就传到了吐蕃的军营里。吐蕃的将领们害怕唐军和回纥联合起来攻打他们,就连夜带领大军撤走了。几天后,回纥军也班师而回。就这样,郭子仪凭借自己的威望和处置得当,兵不血刃地化解了一场即将到来的恶战。

智 慧 点 灯

　　本则故事改编自《新唐书·郭子仪列传》，情节略有改动。郭子仪凭借自己的威望与智慧，一个人就将回纥大军给劝退了回去，还吓得吐蕃大军连夜撤走，对维护唐王朝的统治起到了非常重要的作用。郭子仪身上所表现出的冷静与坚韧，睿智与豁达，是他取得成功的关键。同时，正是因为长期带兵打仗积累了丰富的经验，再加上平时为人正直、磊落，所以郭子仪才敢于如此自信。

　　读过这个故事后，我们青少年应该明白这样一个道理：真正高明的军事家不是靠兵强马壮来打退敌人的，"不战而屈人之兵"才是为将者的大智慧。

李愬雪夜下蔡州

唐朝末年,各地方节度使拥兵自重,割据一方,大都不再听从唐王朝的政令。其中,淮西(辖区在今河南境内)是最顽固的割据藩镇之一。

元和九年(公元814年),淮西节度使吴元济发动叛乱。消息传到朝廷,一向有志于削平藩镇的唐宪宗立即决定发兵征讨淮西,希望借此杀鸡儆猴,让各藩镇知难而退。但是由于他用人不当,战争进行了三年,耗费了大量人力物力,唐军不但未能平叛,淮西叛军的势力反而还越来越强大了。

公元817年,觉得拖不起了的唐宪宗动了停战的念头。宰相裴度上书说道:"淮西之乱对于朝廷来说,好比一个人身上长了一个毒疮,如不早日割除,流毒就会蔓延全身。现在淮西叛匪气焰嚣张,臣认为是陛下用人不当的缘故。洮州临潭(今属甘肃)人李愬(sù)虽然外表木讷,实则内心灵活,素有智谋。臣请陛下委任他为将,率军平定叛乱。"唐宪宗批准了裴度的请求,任命李愬为唐州(今属河南)等三州节度使,要他择日进剿(jiǎo)吴元济的老巢蔡州(今河南汝南)。

唐州的将士打了好几年仗却鲜有胜绩,都已非常疲惫,不愿再打了,现在听说朝廷委任了一个没有名气的人为统帅,更是斗志全无。李愬到唐州后,先

RANG QINGSHAONIAN YISHENG SHOUYI DE
ZHANZHENG GUSHI
让青少年一生受益的
战争故事

摸清了敌我双方的情况,然后就向将士们宣布说:"我李愬是个懦弱无能的人,并不懂得打仗。朝廷派我来是为了安顿地方秩序,至于剿灭吴元济,那不干我的事。"众将士一听,个个都目瞪口呆,认为朝廷派来了一个草包将军。这个消息传到了淮西,吴元济高兴得手舞足蹈。从此以后,他再也不把唐军放在心上,逐渐放松了戒备。

李愬闭口不提打淮西的事,整日忙着整顿唐州城内的秩序。城里有许多生病和受伤的士兵,李愬便挨家挨户上门慰问,一点儿架子也没有。将士们都很感激他,纷纷表示愿意为他效忠。有一次,李愬的士兵在边界巡逻时,碰到了一小股淮西叛兵。双方打了一阵后,唐军把淮西叛兵打跑了,还活捉了一个叫丁士良的军官。这丁士良是吴元济手下的一员勇将,经常带人侵扰唐州一带。唐军中有很多人吃过他的亏,都非常恨他。这一回活捉了他,大家都请求李愬将他斩首示众,给阵亡的唐军将士报仇。李愬却没有听从大家的建议。他深知丁士良的价值,一再劝他归顺朝廷,并表示即使不归顺也没关系,只要他不再跟着吴元济叛乱,就可以放他回家。丁士良见李愬这样宽待自己,十分感动,就投降了唐军。李愬用人不疑,将丁士良安排在了自己身边。丁士良为了报答李愬的知遇之恩,为他推荐了两个降将,一个叫李祐,一个叫李忠义。不久,李愬发现这两个人果然有勇有谋,而且熟悉当地的情况,就对他们加以重用,经常跟他们秘密讨论进攻蔡州的计划。

李愬手下的将领见李祐等降将竟然得到了重用,都感到愤愤不平。军营里传得沸沸扬扬,都说李祐是敌人派来做内应的。还有人有鼻子有眼地说,李祐是淮西叛军的间谍,来这里是想鼓动李愬造反。李愬怕军心不稳,就向大家宣布说:"既然大家都认为李祐不可靠,那我就把他送到长安去,听凭皇上发落吧。"他一面吩咐士兵给李祐戴上镣铐,押送去长安,一面秘密派人上了一道奏章给唐宪宗,说他已经跟李祐一起制订好了攻取蔡州的计划,如果朝廷杀了李祐,这一切也就泡汤了。

唐宪宗看到李愬的密奏后,就下令释放了李祐,并叫他仍旧回唐州协助李愬。李祐回到唐州后,李愬高兴极了,握着他的手说:"你能安全回来,真是国家之福啊!"说完,就任命他为统兵校尉,并允许他携带兵器进出大营。李祐知道李愬是在千方百计地保护他,感动得泪如雨下,从此以后更加卖力了。

一天,李祐向李愬献计说:"吴元济的精兵都驻扎在洄曲(今河南商水西南)和边境上,把守蔡州的不过是一些老弱残兵。我们如果能抓住这个战机,直取蔡州,活捉吴元济不在话下。"李愬把这个计划秘密派人向宰相裴度做了汇报。裴度非常支持他们,说:"打仗就是要出奇制胜,你们相机而动吧。"

得到裴度的认可后,李愬命令李祐、李忠义带领三千精兵作为先锋,自己亲率中军、后军,在一个夜深人静的夜晚向蔡州出发了。当时除了李愬、李祐几个人,军中谁也不知道要到哪里去。有人偷偷地问李愬:"将军,我们这是往哪儿走啊?"李愬说:"军事机密不可泄露,你们只管朝东前进即可!"赶了六十里地,唐军到了一个叫张柴村的地方。驻守在那儿的淮西叛兵毫无防备,被李祐的先头部队悄无声息地消灭了。李愬占领张柴村后,命令将士们休息片刻。休息完后,他叫一队士兵留下来守住张柴村,截断通往洄曲的道路,率领大军继续进发。众将领向李愬请示往哪里去,李愬这才宣布:"到蔡州去,活捉吴元济!"有一些将领是在吴元济手里吃过败仗的,一听到这个命令,吓得脸色都变白了。

当时正值隆冬时节,三更时候,天气突变,下起了鹅毛大雪。张柴村通往蔡州的路,是唐军从来没走过的小道,道路泥泞,大家都不由得暗暗叫苦。但是,由于李愬平日里治军很严,谁也不敢违抗军令。士兵们把脚上缠上布

条,踏着厚厚的积雪行军。又赶了七十里路后,他们来到了蔡州城下。蔡州城外有一个养鹅、鸭的池塘,大军经过时,把正在沉睡的鹅鸭都惊醒了。它们发出"呷呷"的叫声,恰好把人马发出的动静给掩盖了。

　　唐军来到蔡州城下时,城楼上乌黑一片,几乎所有的叛军都窝在营帐里睡觉,没有人料到这会儿会有唐军出现。李祐、李忠义吩咐一百多个精壮的士兵用尖锐的工具在城墙上来回划动,从下到上划出了一道道坎儿。接着,他们俩带头踏着坎儿爬上城去。守城的淮西兵正在呼呼大睡,在睡梦中就被杀死了。进城后,李祐让几个士兵换上淮西叛军的衣服,叫他们照样敲梆子打更。然后,他偷偷地下了城楼,打开城门,迎接李愬大军进城。李愬率军悄悄进入了蔡州。入城后,李愬特意派出一队精锐的侍卫做先导,专门负责铲除城内各个街道、兵营中巡逻的叛军,以免引起骚乱。就这样,李愬率军长驱直入,一直进入了内城,而淮西叛军竟一点儿也没有察觉。

　　鸡叫头遍的时候，天蒙蒙亮了，下了一夜的大雪也停了。唐军此时已经占领了吴元济的外院，而吴元济还在睡梦中呢。吴元济的一个亲兵起来撒尿，无意中发现了唐军，急忙闯进里屋向吴元济报告："大人，不好了……官军到了！"吴元济躺在床上，懒洋洋地说："官军离我们有上百里路，洄曲、张柴村都有我们的驻军，怎么可能说到就到了？你去看看是不是有人在闹事，等我吃过饭再去收拾他们！"他刚说完，又有士兵急匆匆地闯进来说："大人，城门已经被官军打开了！"吴元济感到有点儿不妙，喃喃自语道："是不是洄曲那边派人来找我讨要物资啊？"说着，他披上衣服起来了。这时，只听院外传来了一阵阵吆喝声："奉李将军令……"接着是成千上万的士兵的脚步声。吴元济这才害怕起来，慌乱地问道："哪个李将军？怎么跑到这儿来传令来了？"说完，他带了几个亲兵爬上院墙去看。这一看不要紧，可把他给吓坏了。只见院墙外唐军士兵围了一圈又一圈，正在等待李愬下令攻打自己的府邸呢。

　　不一会儿，李愬来到院门前喊道："吴元济，你背叛朝廷，我奉皇上之命前来捉拿你！希望你放下武器，立即投降！"吴元济仗着府邸建得墙高屋厚，易守难攻，纠集了府内的亲兵，企图负隅顽抗，等待援兵。李愬下令发起攻击。士兵们抬着巨木撞击院门，并放火烧了附近的树木，又向院内射箭。蔡州城的百姓早就受够吴元济的折磨了，听说李愬来了，纷纷扛着柴草来帮助唐军。吴元济见身边的士兵一个个被箭射死，大门也已被点燃，知道再抵抗下去只有死路一条，只得束手就擒了。这时，太阳才刚刚出来，蔡州城内很多百姓还没有吃早饭呢。李愬大获全胜，他一面命令一队精兵用囚车把吴元济押送到长安去，一面派人飞马向宰相裴度报捷。

　　不到一个月，李愬一夜之间平定淮西、活捉吴元济的消息便传遍了全国各地。各个藩镇大为震动，纷纷向唐代宗上表，表示愿意服从朝廷的管辖。

藩镇纷起叛乱的时局至此总算暂时安定了下来。

智慧点灯

　　本则故事改编自《资治通鉴》中的名篇《李愬雪夜下蔡州》,说的是李愬雪夜奇袭蔡州,生擒割据淮西、拥兵自立的吴元济的史事。这场战斗是中国历史上有名的突袭战。

　　德国著名军事理论家克劳塞维兹曾说过:"攻击最有力的武器之一,就是出其不意。"李愬奇袭蔡州成功的秘诀,就在于"出其不意"。当然,运用这一战术,必须具备两个条件——秘密、准确的情报和参战部队的高度机动能力,两者缺一不可。综观李愬在对蔡州发动奇袭前的所作所为和雪夜带兵行军、攻占蔡州时表现出的坚定果敢,此君可谓深谙(ān)此道。

寇准抗辽

宋太祖赵匡胤（yìn）建立了宋朝之后，出于对武将的戒备，用"杯酒释兵权"的办法解除了那些曾经立下汗马功劳、手握重兵的将领的实权，推行"重文轻武"的基本国策。这导致宋朝的军事实力日渐衰微。与此同时，东北的少数民族政权辽国积极进行政治军事改革，实力逐渐增强，经常侵犯北宋的边界。到宋真宗赵恒即位的时候，辽国与北宋之间的战争已相当频繁，规模也越来越大了。

宋真宗急于抗击辽国，安定边境，便想起用正直而有才能的大臣主政。有位大臣向宋真宗推荐寇准，说寇准忠于国家，办事果决，堪当大任。宋真宗犹疑地说："朕听说寇准这个人好强任性，性格倔强，他能担负起宰相的重任吗？"宋真宗有这样的疑问是有根据的。原来，寇准早在宋真宗的父亲宋太宗在位时就担任过朝中的枢密副使（相当于副宰相）一职，后来因性情耿直而被其他官员排挤到地方做知州去了。据说，有一次寇准上朝奏事，触怒了宋太宗。宋太宗听不下去了，怒气冲冲地站起来，想回内宫去。寇准跪在宋太宗面前，拉住他的袍子不让走，一定要请太宗坐下听完他的话。事后，

宋太宗感慨地说："朕得到寇准，就好比唐太宗得到了魏征啊！"

见宋真宗面露迟疑之色，向他推荐寇准的那位大臣又说："寇准的倔强体现于能坚持自己的决断，不人云亦云；而好强则体现在治理国家不遗余力、尽心尽责上。现在辽国屡次进犯中原，朝廷正需要像寇准这样正直无私、敢作敢为的人来担当大事。"宋真宗觉得这位大臣的话有道理，便把寇准召回了京城，起用他为宰相。

宋真宗景德元年（1004 年），辽国萧太后与辽圣宗耶律隆绪亲率大军侵犯宋境。辽军一路势如破竹，不到半个月，前锋就已经到达距离北宋都城东京（今河南开封）不远的澶（chán）州（今河南濮阳）了。眼见告急文书像雪片一样飞到朝廷，宋真宗慌了手脚，连忙召开御前会议，让大臣们出主意。枢密副使王钦若和枢密直学士陈尧叟都认为宋朝军队打不过辽军，劝真宗赶紧迁都。王钦若是江南人，主张真宗迁都金陵（今江苏南京）；陈尧叟是蜀人，劝真宗移驾成都（今四川成都）。

宋真宗听了这些意见，犹豫不决，又问宰相寇准有什么好主意。寇准看着贪生怕死的王钦若和陈尧叟，心里早就火冒三丈了。他声色俱厉地说："都城是国家的中心所在，迁都会动摇民心，不利于政权的稳固。对出迁都这种主意的大臣，应该先砍掉他们的头！我认为只要陛下肯御驾亲征，鼓舞士气，辽国必败无疑！"寇准敢于说这样的话，并不是逞一时之勇，而是基于对当时形势的准确判断。他认为此次辽军进犯，粮草补给困难，攻势持续不了多久，只要真宗亲自出征鼓舞士气，宋军一定能打退辽兵；而如果放弃东京南逃，人心动摇，敌人就会乘虚而入，国家也就保不住了。宋真宗被寇准大无畏的气概感染了，最终答应御驾亲征。

于是，在寇准的陪同下，宋真宗带领一班文武重臣从东京出发了。大队人马到达韦城（今河南滑县东南）境内时，宋真宗听说辽军兵强马壮，不由得忐忑(tǎn tè)不安起来。一些随从大臣趁寇准不在的时候又劝真宗迁都江南,先避一避风头。宋真宗对御驾亲征本来就没有兴趣,现在听了这些意见,内心又动摇起来。他召见寇准,问道:"大家都说辽国势大,我军不是对手,我看我们还是先往南方躲避一下为好。你觉得呢?"寇准严肃地说:"主张南逃的都是一些懦弱无知的人。现在敌军迫近,人心动摇,我们只能前进,万不可后退。前进一尺,黄河以北各军的士兵就会多一分勇气,最终战胜敌人;后退一寸,全军就会士气低落一分,最终必然会溃败。到时候敌军紧紧追赶,陛下就是想到金陵也去不成了。"

宋真宗见寇准义正词严,嘴上尽管不好再说什么,可心里还是七上八下的。寇准走出行营,正好碰到殿前都指挥使高琼。寇准冲着高琼说:"高将军,你受朝廷栽培,该怎么回报?"高琼大声说:"我愿以死报国!"寇准点头道:"好!"他随即拉着高琼返回行营,把自己的意见又向宋真宗说了一遍,最后说:"陛下,如果您认为我说得不对,何不问问高将军呢?"高琼这才明白了寇准的意图,忙说:"宰相所言极是。将士们的家属都在东京,不愿南逃。只要陛下亲征澶州,我军击败辽兵不在话下!"宋真宗还没开口,寇准又苦谏道:"事关江山社稷(jì),请陛下即刻动身!"

在寇准、高琼和将士们的一再催促下,宋真宗终于决定动身到澶州去。十一月,宋真宗一行渡过黄河,来到了澶州北城。这时候,辽军已经从三面围住了澶州,与守城的宋军呈对峙状态。宋真宗在大臣们的簇拥下登上澶州城楼,守城的将士看到宋真宗的黄龙大旗,欢声雷动,士气顿时高涨。寇准决定利用这一时机,与辽军决一死战。

第二天,寇准亲自领兵出城与辽军作战。出了城门以后,他让守城将士关闭了城门,慷慨激昂地对大家说:"诸位,城门已经紧闭,我们这次是背水一战,为了保卫国家,保护妻儿老小,希望大家奋勇杀敌!"将士们见宰相亲

自指挥作战，受到了极大的鼓舞，都决心血洒战场、死战到底。这时，辽军营中响起了号角，辽军骑兵开始集结，马上要发起第一轮进攻了。寇准命令士兵准备好"床弩"（中国古代一种威力较大的弩，将一张或几张弓安装在床架上，可以连续射箭），并下令说："只要没听到命令，就绝不许射击，违者立斩不赦（shè）！"众将士闻言都把手指搭在床弩上，竖起耳朵听令。

不一会儿，黑压压的辽国骑兵杀了过来，很快进入了宋军床弩的攻击范围，但宋军阵前的一排床弩手却一点儿动静也没有。五百步……三百步……二百步，敌骑越来越近，但众将士期待中的"射"字却迟迟没有到来。一百步……七十步……所有人的心都提到了嗓子眼，眼看敌军就要冲到跟前了！"射——"就在所有人都已经按捺不住的时候，寇准一声暴喝如霹雳般横空炸响。顿时，万箭齐发，密集的弩箭如飞蝗般向敌军射去。辽国骑兵猝（cù）不及防，冲在前边的都被射了个人仰马翻，顿时阵脚大乱。

在守城将士的助威声中，寇准指挥宋军与敌人展开了血战。辽军主将萧达兰中箭丧命。主将一死，辽军士气大落，纷纷溃退。萧太后看到宋军气势如虹，知道不能取胜，就下令撤军了。

当晚，萧太后派使者到宋朝行营议和，要宋朝割让土地。寇准坚决反对议和，他认为现在宋军士气正旺，在战争中占有优势，辽军处于下风，哪能反过来给辽国好处呢？但是宋真宗一心求和，所以不顾寇准的反对，派使者曹利用到辽营议和。曹利用临走的时候，宋真宗叮嘱他说："如果他们要我朝赔款，每年一百万朕也答应。"寇准在旁边听了，极为痛心。待曹利用离开行营，寇准马上追了出去。他抓住曹利用的手，厉声说道："记住，赔款的数目不能超过三十万，否则回来的时候我要了你的脑袋！"曹利用知道寇准的厉害，不敢不听。他到了辽营，经过一番讨价还价，最后正式与辽军达成协议：宋朝每年给辽国绢二十万匹，银十万两。

曹利用回到行营，宋真宗正在吃饭，没有立即接见，只是叫小太监出来问曹利用答应了赔辽国多少。曹利用觉得这是国家机密，不便向小太监透露，便伸出三个指头做了个手势。小太监向真宗一回报，真宗以为曹利用答应的赔款数目是三百万，不禁惊叫起来："怎么这么多！"不过他略略想了一下，就又轻松起来，说："三百万能够了结一件大事，也可以了。"吃完饭后，宋真宗把曹利用叫进来仔细一问，才得知他答应给辽军的银绢是三十万，不由得连连夸奖曹利用能干。

由于寇准坚持抗战，北宋得以保全了领土。不过，王钦若始终对寇准战前当廷羞辱他的事耿耿于怀。一天，他在宋真宗面前进谗言说："寇准让陛下亲征，这是把您当赌注啊，万一当时我们打败了，您难免会被辽军俘虏，那后果简直不堪设想。"宋真宗一想起在澶州的情景，也十分后怕，就怨恨起了寇准。不久，他就找了一个借口，把寇准的宰相一职给撤了。

智慧点灯

　　本则故事改编自《宋史·寇准传》,说的是宋辽澶渊之战。北宋在澶渊之战中取得了胜利,但却与辽国达成了"澶渊之盟",结果不败而败,每年向辽国进贡巨额岁币,给人民带来了沉重的负担。不过,从整个中华民族发展的历史来看,"澶渊之盟"也有其积极的一面:它结束了辽宋之间几十年的战争局面,此后辽宋边境长期处于相对和平的状态。这有利于边境地区的生产和生活稳定,客观上也促进了我国多民族国家的发展和统一。

　　具体到澶州之战来说,宋军能够取胜,应该说主要是胜在了士气高涨上。御驾亲征,宰相亲自率兵上战场,这些都极大地激励了将士们的斗志。由此可见,在战争中士气是决定胜败的关键因素之一。

岳飞大破"拐子马"

北宋末年,由于宋徽宗和儿子宋钦宗都十分昏庸,任用奸臣,致使朝政腐败,国力衰弱。北方强盛的金国趁机出兵南下,很快便攻陷了东京汴梁,致使北宋灭亡。就连宋徽宗和宋钦宗也都被金军俘虏了。这是靖康二年(公元1126年)发生的事,史称"靖康之耻"。

公元1127年,宋徽宗的第九个儿子康王赵构逃到杭州,在宗室大臣的拥戴下称帝,建立了南宋政权,史称宋高宗。南宋王朝建立后,面临的最突出的问题就是抵抗金军的入侵,并收复北方的国土。当时许多爱国将领奋起抗争,坚决抗击金国的入侵。岳飞就是其中最著名的一位。

岳飞字鹏举,相州汤阴(今属河南)人。他从小读书刻苦,尤其爱读兵法,以至所有能看到的兵书都烂熟于心。他的力气很大,十几岁的时候就能拉开三百斤的大弓。他曾拜同乡武师周同做老师,学得一手好箭,能左右开弓,百步穿杨。岳飞的母亲深明大义,从小就教导岳飞要报效国家,并将"精忠报国"这四个字刺在了他的后背上。

二十岁时,岳飞应召从军。金兵南下的时候,他在东京当小军官。有一

天，他带了一百多名骑兵在黄河岸边演练阵法，不料碰到了大股金兵。士兵们突然见到这么多敌人，当场就都吓呆了，不知如何是好。岳飞却不慌不忙，说："敌人虽多，但他们不知道我们的虚实。现在敌人还没有列阵，我们可以趁机突然发动进攻，击败他们。"说罢，他带头冲向敌阵，银枪一抖，将一名金军将领刺于马下。士兵们受到岳飞的鼓舞，也都勇敢地冲了上去，果然把金军杀得七零八落。

黄河岸边这一仗，使岳飞在军营中名声大振。又过了几年，他在抗金名将宗泽手下当上了统兵将领。宗泽很器重岳飞，曾对他说："像你这样智勇双全的将领，可以和古代的李广、柳亚夫相媲(pì)美。"

岳飞跟宗泽一样，把抗金作为自己的最高使命。宋高宗即位以后，他马上写了一份奏章，慷慨激昂地说："现在我军士气高涨，收复国土的愿望格外强烈，希望陛下能御驾亲征，率领将士北伐，一鼓作气恢复中原，迎回二帝（指宋徽宗与宋钦宗）。"他在奏章中还批评了黄潜善、汪伯彦等一伙投降派的主张。奏章递上去以后，宋高宗非但不听，反而嫌岳飞官职卑微却多管闲事，下旨革了他的军职。后来经人保举，岳飞才又回到了军中。

宗泽死后，岳飞归东京留守杜充指挥。有一年，金兵大举进攻，杜充率部逃到了建康（今江苏南京）。金国大将完颜宗弼又挥兵攻打建康，杜充就可耻地向金军投降了。当时杜充手下的将官只有岳飞仍旧坚持率军在建康附近抵抗，并多次打退金军。屡立战功之后，岳飞的名声越来越大。宋高宗这才认识到岳飞是个人才，遂委任他为节度使。这一来，岳飞就跟当时的名将韩世忠、刘光世、张俊并驾齐驱了。这一年，他才三十二岁。

岳飞一心想要恢复中原，所以平时十分注意练兵。他带的兵不仅作战勇敢，而且纪律严明，从不骚扰百姓，被人们亲切地称为"岳家军"。岳家军行军经过村庄时，夜里都露宿在街巷中。老百姓请他们进屋，没有一个人肯进去。岳家军中流传着一个口号，叫做："冻死不拆屋，饿死不掳（lǔ）掠。"部队演练的时候，岳飞常常亲自上阵，或者穿着铁甲带领将士徒步行军，或者与士兵比试武艺，对训练的要求像打仗时一样严格。有一次，他的儿子岳云私自骑着战马外出，结果扭伤了马脚。岳飞知道这件事后，按军法将岳云责打了五十军棍。将士们看到主将对自己的儿子要求都这样严格，操练起来就更加认真了。

在岳飞的努力经营下，岳家军的将士士气旺盛，打起仗来每战必胜，从来没有打过败仗。金军最头疼的就是与岳家军作战，士兵之间流传着这样一句话："撼山易，撼岳家军难。"

宋高宗绍兴九年（公元 1139 年），金朝调集全国的精锐部队，以名将完颜宗弼为统帅，东起两淮，西至陕西，分四路大军大举南进，企图一举灭亡南宋。见南宋王朝面临着覆灭的危险，宋高宗连忙颁发诏书，要各路宋军联合抵抗。

岳飞当时正在湖北练兵。接到宋高宗的命令后，他立刻率领岳家军北上。一路上他们连连告捷，先后占领了军事重镇颍（yǐng）昌府（今河南许昌）、淮宁府（今河南淮阳），并乘胜收复了郑州等地。岳飞还派部将梁兴等人率军渡过黄河，联合河东、河北的义军，出奇兵痛击金军，收复了不少州县。金军统帅完颜宗弼在东京汴梁听到岳飞进军的消息后，连忙召集部下商量对策。金军将领都被岳家军打怕了，说宋朝别的将帅还容易对付，就是岳家军攻势难挡。完颜宗弼大怒，说："岳家军厉害我知道，但我们这次调集数十万大军前来，那岳飞纵然是神仙，也无法抵挡。这一次，我们一定要全歼岳家军，否则本帅绝不退兵！"一位谋士献计说："岳家军虽然神勇，但为了抵抗我们，他们的兵力非常分散。据探子报告，岳飞现在驻扎在郾（yǎn）城（在今河南境内），大帅可以亲率精锐骑兵直插郾城，一举消灭岳家军的指挥

中心。郾城攻下了，岳家军群龙无首，也就一击即溃了。"

完颜宗弼听了，觉得可行，立即亲自率领一万五千名精锐骑兵出击。经过一番日夜兼程的急行军，几天后完颜宗弼就率军来到了郾城附近。宋、金双方在郾城北侧摆开了阵势。

岳飞仔细分析了敌情，觉得金军虽然势大，但长途奔袭，只求速战，只要岳家军能多拖住敌人几天，金兵粮草接济不上，就只能撤退。随后，岳飞传达了作战方略。他派儿子岳云带领一支精锐骑兵打头阵，说："这次出战，你的主要任务是往来冲杀，缠住金军的双腿，使他们有力气也无法施展。我率领中军做预备队，随时准备进攻。眼下情势危急，若完不成任务，我第一个就砍你的头！"岳云坚定地说："请父亲放心，保证完成任务！"之后，岳飞又派人去颍昌报信，让那里的守军做好战斗准备。

岳云披挂上阵，带头冲上前去。他率领的是轻骑兵，只管缠住金军狠斗，使金军一时间进展缓慢。完颜宗弼担心时间一久于己不利，便出动重甲骑兵"铁浮图"（士兵穿着重铠甲，戴着铁头盔，三个为一组，战马用皮带连起来，每进一步便用拦马的木头卫护，只进不退）做正面进攻，另以弓骑兵为左右翼，配合作战。这种阵势被称为"拐子马"，是金军的杀手锏。完颜宗弼曾依靠它多次大败宋军。

精明的岳飞很快就发现了"拐子马"的致命弱点——活动不便，三匹马中只要一匹马倒下，另外两匹马便成了"死马"。于是，他传下令去，命令将士上阵时手持麻扎刀、大斧等，等敌骑冲来，就弯下身子专砍马脚。这个方法果然收到了奇效，"铁浮图"被岳家军杀得大败。岳飞随即命令预备队出击，把完颜宗弼的军队打得四散奔逃。岳家军中的勇将杨再兴大喝一声，单骑突入敌阵，杀死金兵数百人，差点儿活捉完颜宗弼。双方从上午激战到天黑，金军被岳家军杀得大败，尸横遍野。完颜宗弼见自己的精锐部队全线溃

退,知道大势已去,只得自顾逃命。在贴身侍卫的保护下,他一口气逃了几十里路才稳住脚跟。

完颜宗弼不甘心失败,见打不下郾城,又改攻颍昌。岳飞早就料到了这一招,立即派岳云带兵救援颍昌。岳云带领八百骑兵从金军的屁股后面杀了过去,金兵无人能够抵挡。颍昌城内的守军此前早已得到岳飞的将令,做好了准备。见金军大乱,他们也呐喊着冲出城来,对金兵来了个内外夹击。这时候,梁兴率领的太行山义军和黄河两岸的各路义军也纷纷响应,打着岳家军的旗帜,截断了金军的运输线。岳家军节节胜利,一直打到了距离东京汴梁只有四十五里的朱仙镇。岳飞看到形势大好,抑制不住心里的兴奋,对部下说:"大家努力杀敌吧!等我们直捣黄龙府(辽国的政治、经济中心)的时候,再跟各路弟兄痛痛快快地喝酒庆祝!"

岳飞胜利的消息传到朝廷后,大奸臣秦桧怕他立了大功后会威胁到自

己的权位,便向宋高宗进谗言:"岳飞的势力越来越强大,恐怕以后难以节制。再说,如果他打败金国,把二帝接回来,那陛下您该怎么办呢?"昏庸的宋高宗一听,不由得心惊肉跳,就连发十二道金牌将岳飞召了回来。

岳飞回到建康后,秦桧诬告他企图谋反。岳飞坚决不承认。秦桧没有办法,最后只好以"莫须有"(意思是"也许会谋反")的罪名将岳飞杀害了。

智 慧 点 灯

本则故事改编自《宋史》等相关史籍。岳飞抗金的故事可谓家喻户晓。清代人钱彩根据岳飞抗金的一系列故事创作了长篇历史小说《精忠演义说本岳王全传》,使岳飞与岳家军的故事更加深入人心。

岳飞是一个悲剧性人物,虽然在战场上节节胜利,但却被大奸臣秦桧诬陷至死,让人扼腕叹息。绍兴三十二年(公元1162年),宋孝宗即位,下诏为岳飞平反,追封鄂王,谥(shì)武穆,改葬在杭州西湖栖霞岭。奸臣秦桧则因通敌叛国而被处死。人们为了解恨,给秦桧与其老婆铸了裸身铁像,让他们永远跪在岳飞的墓前。

文天祥抗元

南宋后期，朝政极其腐败。北方的蒙古族这时已崛起，趁机对南宋朝廷发动了猛烈的进攻。眼看着南宋朝廷风雨飘摇，已是朝不保夕。

公元1274年，忽必烈即帝位，改国号为元，调集二十万军队水陆并进，直取南宋都城临安（今浙江杭州）。听到消息后，南宋朝野一片混乱，宋度宗病急而死，年仅四岁的赵㬎（xiǎn）即位，史称宋恭帝。谢太后临朝听政，急诏各地起兵"勤王"。

当时任赣州（今江西赣州）知州的官员名叫文天祥，是宋理宗宝祐四年（公元1256年）的状元。他在元兵南下前曾多次上书进言，要求加强长江沿岸的防御，但是奏章报到朝廷，都如石沉大海，杳（yǎo）无音信。当时的右丞相贾似道是铁杆投降派，只求南宋能偏安一隅。他见到文天祥的奏疏后，十分嫉妒他的才能，便有意排挤他，把他派出去当地方官。接到朝廷号召勤王的诏书后，文天祥先把母亲和家人送到惠州的弟弟那里，随后捐出了全部家财作为军费，并发布公告，征召义士、粮饷（xiǎng）。有人劝他说："现在朝廷的正规军都不是元军的对手，你招募的士兵不过是乌合之众，与元军作战无异羊入虎口。你这样做又有什么用呢?"文天祥慷慨激昂地回答道:"正义在我,谋无不立;人多势众,自能成功。"意思是正义在我们一方,只要我们紧紧团结在一起,就一定能取得胜利。在这一坚定信念的鼓舞下,文天祥在短短的几个月内就组建了一支三万多人的军队。从这之后,文天祥从一介书生转变为一名军队首领,放下笔墨,开始了戎马生涯。

文天祥治军严格,特别注重操练,多次打退元军的进攻。公元1275年冬天,在元军的进攻下,宋军的长江防线全线崩溃,文天祥奉命火速增援都城临安的门户独松关(在今浙江杭州西北)。但是还没等文天祥赶到,独松关就已失守了。惊慌失措的谢太后连忙召集群臣商讨退敌之策,却只有六位大臣听命前来,其他臣子都已逃之夭夭了。

在这危急时刻,文天祥率领义军进驻临安。他向谢太后上书说道:"福建、两广一带还在朝廷的掌控之中,元军不过是强弩之末,如果我们坚壁清野,背城一战,事情还大有可为。"然而,谢太后早已被元军吓破了胆子。她听从右丞相陈宜中的建议,决意投降,并派人送去了传国玉玺和投降书。元军主帅伯颜收到玉玺和投降书后,要求南宋派宰相来谈判。谢太后即命陈宜中去元营和伯颜谈判。谁知陈宜中怕有去无回,竟偷偷地出城逃走了。谢太后实在没办法,只好连夜任命文天祥为右丞相兼枢密使都督,出城议和。朋友们都认为这是朝廷在找人陪葬,纷纷劝文天祥拒绝接受这一任命。文天祥却大义凛然地说:"我朝开国数百年,对我们读书人不薄。现在国家有难,做臣子的怎么能临阵退缩呢?我去元营的目的不是投降,而是议和。即使议和不成,一来也可以探听元军的虚实,二来也能争取时间,让朝廷召集到更多的义军。"为了表示此去是为"议和"而非"投降",他辞去右丞相的官位,以资政殿大学士的身份去了元军大营。

文天祥来到元营后,见到了元军统帅伯颜。伯颜见文天祥不卑不亢,而且谈吐不凡，便有心说服他投靠元朝，为自己出谋划策。他对文天祥说："现在长江天险已经被我们攻陷了，只要我一抬手，大元的军队就会包围临安，活捉你们的皇帝。我们之所以不这样做，是不想与江南人民为敌。如果你留下来，我愿意推荐你做我朝的宰相。不知道你意下如何？"文天祥听了，痛斥伯颜道："你们背信弃义，撕毁我们两国互不侵犯的和约，在道义上已经为人所不齿了，现在居然还想劝我投降，真是痴人说梦。我从来都听说大臣应该为国尽忠，没有听说过背叛投降的！"

伯颜听了文天祥的话，对他的人品非常钦佩。伯颜深知，把文天祥放回去等同于纵虎归山，就扣留了文天祥，派人把他押往元朝国都大都（今北京）。押运船队走到真州时，在沿途义军的营救下，文天祥成功逃脱。后来，他几经辗转到了永嘉（今浙江温州）。

这次逃难对文天祥来说可谓九死一生。他在一篇文章中详细记载了整

个过程,说途中有几十次差点儿被敌军发现,距离死亡只有一步之遥。但文天祥坚守自己的信念,时刻不忘南宋故土,以"臣心一片磁针石,不指南方不肯休"的诗句鼓励自己,希望重振宋室。然而,当他历尽千辛万苦到达永嘉时,宋恭帝已经奉表投降了。

宋恭帝投降后,在永嘉的文天祥面临着这样一个抉择:是追随朝廷投降,还是继续进行抗元大业?他毫不犹豫地选择了后者。这时,南宋大臣陆秀夫等人拥立七岁的益王赵昰(shì)在福州即位,史称宋端宗。文天祥听到消息后,又历尽艰辛去了福州。到福州后,他被朝廷任命为枢密使,都督诸路军马。

文天祥渴望领兵打仗,战斗在抗元的第一线。他主动上奏朝廷,希望能以同都督的身份去南剑州(今福建南平)指挥抗元。得到批准后,他到那里招兵买马,联络各地的抗元义军,一举收复了梅州(今广东梅县),随后又攻取了赣南十个县、吉州四个县。在文天祥的感召下,江北、淮南等地的英雄豪杰纷纷起兵,抗元声势日益高涨。

元朝得知文天祥在江西一带督师后,非常震惊,立即调集江西附近的元军前去攻打文天祥率领的部队。文天祥知道自己的部队势单力薄,不宜与元朝大部队正面开战,便引军后撤。在撤退途中,宋军遭到元将张弘范的猛烈攻击,文天祥最终兵败被俘。此时,南宋端宗小朝廷也已经灭亡了。

张弘范知道文天祥是个大人物,不敢擅自加害于他,便向元世祖忽必烈请示应该如何处置。元世祖说:"谁家无忠臣?如果能把文天祥招降,岂不是更好吗?"他命令张弘范对文天祥以礼相待,将文天祥送到大都。文天祥被押至大都后,被软禁在会同馆。元世祖首先派降元的原南宋左丞相留梦炎前去劝降。文天祥一见留梦炎就怒不可遏(è)地把他骂了个狗血喷头,留梦炎只好悻悻而退。元世祖又让降元的宋恭帝赵㬎去劝降。文天祥见到赵㬎后痛哭流涕,只是对他说:"圣驾请回!"赵㬎见他如此忠心,大哭而回。元朝丞相孛罗亲自开堂审问文天祥。文天祥昂然而立,对孛罗说:"我为大宋尽忠,只求早死!你们就不用多费工夫了。"元世祖听说文天祥拒不投降,大怒,下令将他的双手捆绑起来,戴上木枷,关进兵马司的牢房里。

那之后,文天祥在监狱中度过了三年。在狱中,他曾收到女儿柳娘的来信,得知妻子和两个女儿都在元朝宫中做奴隶,过着暗无天日的生活。文天祥深知女儿的来信是元朝统治者的暗示:只要投降,家人即可团聚,从此安享荣华富贵。然而,文天祥尽管心疼自己的妻女,却不愿因此丧失民族气节。他怀着痛苦的心情,把自己过去写的一首诗中的"人生自古谁无死,留取丹心照汗青"这两句抄录了寄给女儿,表示自己将为国尽忠。

该怎样处置文天祥呢?是杀头,还是劝降?元朝众臣议论纷纷。有一次,元世祖问大臣们:"我想招揽人才治理国家,你们说南方和北方最贤能的人是谁?"群臣回答:"我们北方最贤能的人是耶律楚材,南方最贤能的人则非文天祥莫属。"元世祖听了,决定亲自见一见文天祥。

至元十九年(公元1282年)十二月的一天,元世祖召见了文天祥,并亲自劝他投降,说:"你在这里的日子也很久了,如能归顺我们大元,那么朕可以任命你做宰相。"文天祥哈哈大笑,昂着头回答:"如果我要投降的话,还会等到今天吗?!国家灭亡了,作为臣子,我为自己没能尽忠报国感到十分愧疚,因此我只求一死!"元世祖听罢十分气恼,下令立即处死文天祥。

次日,文天祥被押上了刑场。监斩官问他:"死到临头了,你还有什么话要说吗?"文天祥喝道:"死就死,还有什么可说的!"他问监斩官:"哪边是南方?"监斩官给他指了指方向。文天祥面向南方跪了下来,坦然地说:"我的事情完结了,心中无愧了!"随后从容就义,死时年仅四十七岁。

智慧点灯

　　本则故事根据《宋史·文天祥传》改编而来，借文天祥的军事生涯叙说了他伟大的一生。"孔曰成仁，孟曰取义。唯其义尽，所以仁至。读圣贤书，所学何事？而今而后，庶几无愧！"这是文天祥临刑前所说的话。透过这些话，我们可以看到文天祥一生所坚守的节操与信念是多么高尚、坚定。为了实现自己的理想，他矢志不渝，虽九死而无悔；当理想破灭时，他毅然选择了以身殉（xùn）道。

　　"人生自古谁无死，留取丹心照汗青。"这两句诗正是文天祥光辉人格的真实写照。文天祥崇高的民族气节永远值得我们青少年敬仰、学习。

大战鄱阳湖

　　元朝末年,朝政腐败不堪,社会动荡不安,农民起义如火如荼(tú)。元顺帝至正十一年(公元1351年),刘福通领导的红巾军高举义旗,起兵反元,各地义军群起响应。当时,南方影响比较大的义军有两支,一是占据湖北、江西、湖南、浙江、四川等地的徐寿辉部;一是占据安徽的郭子兴部。公元1360年,徐寿辉的部将陈友谅杀死徐寿辉,自称汉王,控制了长江中游地区。公元1352年,郭子兴病死,他的部将朱元璋成为这支起义军的领袖,后自立为吴王。朱元璋极力网罗人才,整顿军队,势力日渐壮大。

　　为了推翻元朝,朱元璋采纳谋士刘基等人的建议,制订了一整套战略计划:先夺取金陵(今江苏南京),以此为基地,平定江南,最后攻灭元朝,统一全国。而朱元璋要平定江南,势必得同割据江南的陈友谅进行激烈的争夺。陈友谅的根据地地处金陵上游,控制了安庆、九江、武昌三个战略重镇,势力强大,仅水军力量就十倍于朱元璋。陈友谅也意识到自己与朱元璋之间的冲突在所难免,便想先下手为强,趁朱元璋羽翼未丰时将其彻底消灭。二者间的争战关系到彼此的生死存亡,从一开始就十分激烈。

公元 1360 年 5 月，陈友谅调集战舰两百多艘，率水陆汉军四十万人攻打朱元璋。汉军的战舰中，最大的长十五丈，宽两丈，高三丈，外面裹以铁皮，船舱分三层，甲板上居然容得下士兵骑马来回巡视，堪称当时的"航空母舰"。汉军士气旺盛，一路连战连捷，直指吴军控制的战略重镇洪都(今江西南昌)。驻守洪都的吴军统帅是朱元璋的亲侄子朱文正。朱文正率领士卒据城死战，采用竹箭、火铳(chòng)御敌，将陈友谅的攻城大军死死地堵在洪都城外三个月。这三个月给朱元璋赢得了战机。他将所有能够调动的部队全部集结到应天(今江苏南京)，总计兵力二十万人，由他亲自率领，开赴江西援救洪都，誓要与陈友谅决一死战。陈友谅久攻洪都不下，听到朱元璋大军来援的消息，便撤围东下，进入水面空阔的鄱(pó)阳湖迎战。一场空前激烈的生死大战即将上演。

　　鄱阳湖又称彭泽，南北相望三百余里，可谓浩瀚无边。它上承赣江等大河之水，下通长江，南宽北窄，形状像一个巨大的葫芦。直到双方在湖面上布阵准备决战时，吴军才发现了一个严重的问题。原来，朱元璋的水军十分弱小，都是一些小渔船，仅有的几十艘大船也是以前在战斗中从汉军那里缴获的。现在遇到汉军的"航空母舰"，一下子显得既寒碜(chěn)又可怜。为此，朱元璋对即将开始的水战忧心忡忡，就去问军师刘基怎么办。刘基说："打胜仗的诀窍无非勇、谋二字，主公现在兵力虽弱，但运转灵活，而陈友谅深入我方境内，在洪都又受过挫败，无异于强弩之末。只要您坚持下去，还有打不赢的道理吗？"朱元璋仔细品味刘基的话，恍然大悟，随后召集众将部署了作战计划。他决定首先对汉军发动进攻，打陈友谅个措手不及。在战前动员会上，他一方面对众将表示慰问，另一方面为大家分析了战况，将士们都大受鼓舞。

　　第二天一大早，朱元璋亲率大军向汉军发起了突然袭击。毫无准备的陈友谅接报后大为慌乱，急忙派出舰队迎敌。此时，朱元璋的舰队突然分成数十个小队，照准汉军的一艘大战舰从不同角度进行攻击。俗话说："好虎敌不过一群狼。"陈友谅的战舰太大，行动不便，顾此失彼，有好几艘被吴军俘虏了。陈友谅分析了吴军攻击的特点后，找到了应对办法。他下令把几十艘巨舰集中起来，前后左右相连，进行集群攻击。朱元璋见状，急忙令舰队后撤，避开汉军的庞然大物。

真是无巧不成书，就在陈友谅率汉军追击吴军时，风向突然掉转，汉军由顺风转为逆风。吴军将领俞通海趁势集中大量火炮，向进入射程的汉军战舰猛轰。在吴军强大火力的攻击下，汉军的前锋舰队几乎全军覆没，二十余条大船被焚毁。朱元璋的旗舰冲在前面，组织各船队向汉军大船放箭。陈友谅发现了朱元璋的旗舰，便命令骁将张定边围攻朱元璋，要其不惜一切代价活捉朱元璋。正在酣战的吴军大将徐达见情况不妙，连忙率船队去保卫朱元璋。朱元璋毫不畏惧，镇定自若地指挥战斗。当两军厮杀进入白热化状态时，朱元璋的旗舰突然在一片浅水处搁浅，船底像被胶住一样动弹不得了。张定边见了大喜，高声叫道："弟兄们，活捉朱元璋者赏黄金万两！"汉军齐声呐喊，把朱元璋的旗舰团团围住。旗舰上的大将宋贵、陈兆先等人拼命抵抗，结果都身中数十箭，先后伤重而死。眼看就要当俘虏了，外表强自镇定的朱元璋不由得害怕起来，背上冒出了一阵阵冷汗。

在这千钧一发之际，身材相貌和朱元璋差不多的偏将韩成把朱元璋的衣服脱下来穿在自己身上，把朱元璋的帽子戴在自己头上，冲出了船舱。他装成朱元璋的样子站在船头，高声叫道："陈友谅你听着，我朱元璋今日败在你手里，只有一死。不要再为了你我二人让天下生灵无辜被杀戮（lù）了……"话音未落，只听"扑通"一声，他竟投入湖中去了。张定边以为朱元璋兵败自杀了，连忙下令打捞尸体，攻势因而稍稍缓了下来。这时，徐达、常遇春等大将听说朱元璋投水,拼命冲杀了过来。张定边只顾督促士兵打捞尸体,没防备常遇春弯弓射箭。只听"嗖"的一声,常遇春一箭射中了张定边的额头。张定边惨叫一声,倒了下去。汉军见主将受伤,顿时慌了手脚,无心再战,仓皇撤退而去。徐达等人顾不上追赶,连忙向朱元璋的旗舰靠拢。他们见朱元璋安然无恙(yàng),都喜出望外。这时候,太阳已经落山了,朱元璋下令鸣金收兵。

朱元璋回营之后,苦思冥想对付陈友谅的办法。部将郭兴向他献计说:"三国时期,诸葛亮大破曹操的连环船,用的是火攻。我们何不也用火攻来破陈友谅的大船呢?"朱元璋听了,连连叫好,让大将俞通海速去准备火船,当晚就发动攻击。俞通海找来七条渔船,带着一队士兵在船上装满芦苇柴薪,树起几个草人,中间放上火药,借着夜色的掩护向陈友谅的大船划去。汉军哨兵发现了小船,赶紧报告了陈友谅。陈友谅赶到船头观看,发现渔船

越驶越近,觉得可疑,连忙令士兵放箭。谁知那渔船上的士兵仍是直挺挺地站着,怎么射也不倒。等汉军发现那些士兵都是穿了盔甲的草人时,渔船已经贴近大船了。只听"嗖嗖"几声,从渔船上射过来数十只铁钩,牢牢地搭住了大船的船舷。俞通海等人将渔船点燃后,纵身跳上跟在渔船后面的轻便小船,一溜烟似的撤走了。

火趁风势,很快就烧了起来。陈友谅的大船都用铁链锁在一起,一时间难以分开,全军顿时乱作一团。朱元璋趁此机会率领大军猛烈进攻,大败陈友谅,烧毁对方巨型战舰数百艘,斩杀数万人。汉军的血染红了湖水,壮阔的鄱阳湖变成了血湖。陈友谅的两个兄弟和大将陈普略等均被烧死。

陈友谅见大势已去,惊慌失措,丧魂落魄,却又无可奈何,只得长叹一声,命令全军收成一个拳头,全力突围。但这时一切都晚了,吴军的战船已经将陈友谅的旗舰团团包围。陈友谅走出船舱指挥战斗,被朱元璋手下大将郭英一箭射中头部,当场毙命。陈友谅一死,汉军四散奔逃,顿时全线溃败。朱元璋获得了鄱阳湖大战的完胜。

智 慧 点 灯

本则故事改编自《明史·太祖本纪》,并参考了历史小说《明朝那些事儿》中的相关篇章。鄱阳湖大战是朱元璋和陈友谅为争夺南方统治权进行的一次战略决战,在中国水战史上占有重要地位。

据记载,此战历时 37 天,其时间之长、规模之大,投入舰船之多、战斗之激烈都是空前的。陈友谅目空一切,部署混乱,没有形成战斗合力,结果被朱元璋彻底打败;朱元璋采取扬长避短、以长击短的战术,充分发挥火器的作用,最终取得了鄱阳湖大战的全面胜利。这次大战之后,朱元璋占据了整个江南地区,为建立大明王朝奠定了坚实的基础。

靖难之役

朱元璋平定天下后，为了巩固政权，一方面找借口杀掉了一些权位很高、战功显赫的大臣，另一方面把他的二十四个儿子和一个从孙分封到各地为王，称为"藩王"。各地藩王可以建立王府，设置官属，而且还可以拥有自己的军队。朱元璋认为这样做可以巩固明王朝统治，让"朱家人"千秋万代地统治中国。他没想到，这样做的结果弊大于利，藩王势力的膨胀对中央集权构成了严重威胁，多年后竟引发了一场大规模的内战。

朱元璋的太子朱标为人憨厚，深得朱元璋的喜爱。可惜朱标在朱元璋六十多岁的时候就去世了。朱元璋痛苦不已。出于对朱标的偏爱，朱元璋没有按照常理立其他的儿子为太子，而是立朱标的儿子朱允炆（wén）为皇太孙，让他成为皇位的继承者。此前，各地的藩王原本以为朱标死后机会来了，都想好好表现一下，争取登上皇位。现在眼看皇位的继承权落到侄儿手里，他们心里都很不服气。特别是朱元璋的第四个儿子——燕王朱棣（dì），最为不服气。朱棣一向带兵驻守在北部重镇北平（今北京），多次立下战功，对乳臭未干的朱允炆当然不放在眼里。

在朱元璋众多的儿子中,朱棣是最为精明能干的。据说有一次,朱元璋叫朱允炆对对子。朱元璋出的上联是:"风吹马尾千条线。"朱允炆对的下联是"雨打羊毛一片膻(shān)"。朱元璋嫌他对得不好,沉下了脸。当时在场的朱棣接口说:"儿臣倒也想了一个下联。"朱元璋叫他说来听听。朱棣不慌不忙地说:"日照龙鳞万点金"。龙是皇帝的象征,朱棣的对语无非是想讨朱元璋的欢心。朱元璋听了,果然连连夸奖朱棣对得好。从此以后,朱棣就更不把朱允炆放在眼里了。

朱允炆虽然老实,但并不是傻子。朱棣瞧不起他,他也看得出来。皇太孙的东宫中有个官员叫黄子澄,是朱允炆的伴读老师。有一次,朱允炆一个人坐在东角门的门口,皱着眉头连声长叹。黄子澄见皇太孙心事重重,就问他为什么发愁。朱允炆说:"现在几个叔父手里都有兵权,将来我怎么管得了他们呢?"黄子澄为了安慰他,就给朱允炆讲了汉景帝平定七国之乱的故事。讲完后,他说:"当时吴楚等七国诸侯那样强大,但是当他们发动叛乱时,汉景帝一出兵,他们立马就垮了。殿下是当今皇上的嫡孙,将来不怕他们造反。"朱允炆听了,心总算放宽了一点。

洪武三十一年(公元1398年),朱元璋逝世,皇太孙朱允炆即位,是为明惠帝,历史上又称建文帝。建文帝登基之后,想到那些不太老实的藩王叔叔们总觉得寝食不安,老想着该怎样除去这些祸患。这时京城里谣传很盛,说几位藩王正在互相串联,准备谋反。建文帝听了,认为应该先下手为强,就把黄子澄找来问道:"先生可记得那次在东角门说过的话吗?"黄子澄说:"陛下放心,我怎么会忘记呢!"建文帝说:"那好,爱卿可以去办了。"

黄子澄退出宫门,去找建文帝的另一个亲信大臣齐泰商量,看如何除掉那几个拥兵自重的藩王。齐泰认为诸王之中燕王朱棣的兵力最强,野心最大,应该首先削除他的权力。黄子澄不赞成这个做法,认为燕王早有准备,

先从他下手容易打草惊蛇，不如先向燕王周围的藩王下手。周王朱橚是燕王的亲弟弟，他的封地在开封，如果先把周王除掉，那就好比砍掉了燕王的翅膀，下一步再除掉燕王也就不难了。两人商量妥当后，就去向建文帝奏报。建文帝依计而行，找个由头派兵到河南把周王朱橚押赴南京，削去了他的王位，充军到云南。接着，建文帝又查出三个藩王有不法行为，就把他们都削去了王位，贬为庶民。

　　这下子可捅了马蜂窝。燕王朱棣看出了建文帝的打算，知道厄运早晚会落到自己的头上，于是就暗中加紧练兵，准备谋反。为了麻痹（bì）建文帝，争取宝贵的时间，他假装犯了精神病，成天胡言乱语，有时候还躺在地上好几天不起来。建文帝听说后，就派使臣去北平探病。那时候正是大热天，燕王却穿着棉袍子坐在火炉边烤火，嘴里还不停地叫冷。使臣回到南京汇报了所见所闻，建文帝就也相信了燕王是真的病了。

但是齐泰、黄子澄却怀疑燕王装病。他们一面派人到北平把燕王的家属抓起来,一面秘密命令北平都指挥使张信带兵逮捕燕王,还买通了燕王府的一些官员做内应。他们没有料到,张信早就被燕王收买了,是燕王的心腹。他接到朝廷的命令后,连夜跑去告诉了燕王。

燕王得到消息后,知道再不行动就要沦为笼中之鸟了,于是就把王府内充当建文帝内应的官员全都抓了起来,宣布起兵南征。燕王是个精明人,知道建文帝是名正言顺的皇帝,公开反叛他在舆论上会对自己极其不利,就找了个起兵的理由,说是要进京"靖难"——帮助建文帝除掉奸臣黄子澄、齐泰。历史上把这场内战叫做"靖难之役"。

燕王朱棣有许多优势:他本来就是防守边疆的一员猛将,带兵打仗的经验十分丰富,手下兵强马壮,还有姚广孝等一批文臣的辅佐;再就是,他的兵将对老百姓秋毫无犯,所以深得民心,受到百姓的拥戴。燕王起兵南下后,遇上了朱元璋时期的老将耿炳文。耿炳文长于防守,死守城池不出,但最终还是被善用谋略的朱棣一举击败。建文帝随后又派出大将李景隆去阻击燕王的军队。但是李景隆是个胆小怕事的只会纸上谈兵的庸才,他的军队也很快被朱棣打败了。

打败李景隆这个"草包将军"后,朱棣又派兵攻取了悍将铁英把守的济南府,打通了南下的道路,直逼南京而来。见形势日益恶化,建文帝害怕起来,就撤了齐泰、黄子澄的职,想要跟燕王朱棣讲和。但是建文帝的想法太幼稚了,朱棣已经快要取得最后的胜利了,哪里会轻易放弃呢?

建文四年(公元 1402 年),燕军在淮北遭到了顽强的抵抗。仗打得十分激烈,有些燕军将领主张暂时撤兵,待休整后再进攻。燕王果断地说:"这次进军,只能进,不能退!"没多久,燕军发起突然袭击,截断了南军运粮的通道,南军随之一败涂地。燕军势如破竹,进军到南京城下。建文帝见形势紧

急,一面要将士拼死守城,一面派人向燕王求和,表示愿意割让土地,请求燕王退兵,遭到了燕王的拒绝。几天后,负责守卫都城的"草包将军"李景隆打开城门投降了燕王。

燕王带兵攻进城中,只见皇宫内大火熊熊。燕王急忙派人把大火扑灭,但这时已经烧死了不少人。燕王把宫内幸存的太监、宫女都召集起来,查问建文帝的下落。有人报告说,燕兵进城之前,建文帝下令放火烧宫,然后就和皇后一起跳到大火里自杀了。燕王立即派人寻找建文帝的尸首,但是始终没有找到。这成了一个千古疑团。

后来,燕王朱棣在南京即皇帝位,是为明成祖。明朝的历史从此翻开了新的一篇。

智慧点灯

本则故事改编自《明史·成祖本纪》。"靖难之役"以朱棣取代朱允炆的帝位而告终。朱允炆失败的最根本原因在于他本人缺乏一个军事战略家的基本素质。他性格优柔寡断,在处理藩王问题上措施不当,而且十分不善于用人。

相比之下,燕王朱棣果断刚毅,兴兵南征之初就有明确的目的,在遭受挫折、军心动摇的时候,能够坚决贯彻自己的作战意图。他打出"清君侧"旗号,兴"靖难"之师,使师出有名,可以招降纳叛,争取到了朝野部分人的支持和拥戴;他不仅能亲临战阵,督军作战,而且知人善任,善纳忠言,得到姚广孝、张信等文臣武将的辅佐。这些优势综合发挥作用,使他最终成功地登上了皇帝的宝座。

土木堡之变

　　明太祖朱元璋在位的时候，吸取历史上宦官专权导致国家混乱的教训，立下了一条规矩："宦官干预政事者，斩！"他把这条规矩铸成铁牌，立在宫里，想要他的子孙世世代代遵守。但是到明成祖朱棣(dì)的时候，这条规矩就逐渐废弛了。因为明成祖是从他的侄子建文帝手中夺得皇位的，很害怕大臣们会反对他，于是就特别宠信身边的宦官。明成祖迁都北京以后，在东安门外设立了特务机关"东厂"，以太监为东厂提督。到了明宣宗的时候，连本该皇帝亲自批阅的奏章也交给一个宦官代笔，称为"司礼监"。这一来，宦官的权力就更大了。

　　明宣宗时，皇宫要招收一批太监。山西蔚州(今河北蔚县)有一个名叫王振的地痞无赖，这时因为犯了罪而即将被判充军。他为了逃避刑罚，听说皇宫招收太监，就自阉(yān)入宫，做了太监。宫里识字的太监不多，只有王振年轻的时候读过一点书，精通文字，因此大家都称他"王先生"。后来，明宣宗让王振教太子朱祁镇读书。朱祁镇年幼爱玩，王振总是能想出各种各样的法子让他玩得痛快，因此深得朱祁镇的宠信。

明宣宗死后,刚满九岁的太子朱祁镇即位,是为明英宗。不久,王振就当上了司礼监,帮助明英宗批阅奏章。明英宗一味追求玩乐,根本不过问国事,王振趁机把朝廷的军政大权都抓在了手里。朝中大臣谁要是得罪了王振,不是被撤职,就是被充军。一些王公贵戚为了讨好王振,竟肉麻地称呼他为"翁父",更有无耻者以认王振做干爹为荣。这时的王振可谓炙手可热、权倾朝野。

当时北方蒙古族的瓦剌(wǎ là)部逐渐强大起来。其首领也先表面上与明朝互通贸易,保持和平,暗中却刺探明朝的虚实,想寻机举兵,恢复元朝的统治。明朝镇守边境的将领察知瓦剌军蓄谋南侵,曾多次上书请求加强戒备。大太监王振为了让明英宗玩得开心,竟然把这些奏章都扣押下来不予理睬,致使北部的边防始终得不到加强。

明英宗正统十四年(公元 1449 年),瓦剌首领也先派两千多名使者到北京进贡马匹。为了多领赏赐,他们诈称来了三千人。王振见也先的使者不但不给自己送礼,反而想占便宜,便擅自削减了赏金和马价。这一来,也先被激怒了,调集了十万军队,直扑明朝的边防重镇大同(在今山西)。驻守大同的明将出兵抵抗,被瓦剌军打得落花流水。边境的官员见情况不妙,连连向朝廷告急。消息传到北京,王振见再也瞒不住了,只好报告了明英宗。明英宗慌忙召集大臣商量对策。

大同离王振的家乡蔚州不远。王振在蔚州有大批田产,怕蔚州被瓦剌军侵占,便竭力主张明英宗御驾亲征。兵部尚书邝埜(kuàng fén)和侍郎于谦认为朝廷没有做好充分的准备,御驾亲征恐怕会有不测。明英宗是个没主见的人,王振怎么说他就怎么做,也不管大臣如何劝谏,执意决定亲征。随后,明英宗叫弟弟郕(chéng)王朱祁钰和于谦留守北京,自己跟王振在两天之内凑了五十万大军,又胡乱配了点粮草和兵器,就匆匆出发了。

这次出兵，明朝本来就没做好准备，一路上又遇到狂风暴雨，结果没过几天粮草就接济不上了。士兵们又饿又冷，叫苦连天。到了大同附近，士兵们看到郊外的田野里到处都是明军士兵的尸体，不由得人心惶惶，开小差的越来越多。有个大臣发现军队士气低落，便劝英宗退兵，结果被王振臭骂一顿，还被罚跪了一天。

也先听说明英宗御驾亲征，便假装退兵，引诱明军进入大同及其以北地区。同年八月，王振和英宗顺利进入大同。他们看到瓦剌军队北撤，以为瓦剌害怕了，便得意扬扬地继续北进。邝埜等人怕瓦剌设下圈套，深感形势不妙，多次上书请求回军，提醒英宗不要中瓦剌的埋伏。王振执意不听。过了几天，明军前锋在大同城边被瓦剌军杀得全军覆没，各路明军纷纷溃退。到了这时候，王振才感到情况危急，忙撺掇（cuān duō）英宗下令退兵。

退兵本来是越快越好，但是王振却想带兵到他的老家蔚州去摆摆威风，便劝英宗到蔚州去住几天。就这样，几十万将士离开大同，往蔚州方向跑了四十里地。但这时王振转念又一想："军队这么多，要是到了蔚州，岂不是会把我家的庄稼都踏坏吗？"于是，他又改变主意，传令改道东行。这样一折腾，拖延了时间，瓦剌的骑兵已经追上来了。明英宗急忙令成国公朱勇领军三万前去阻击。不承想朱勇陷入了重围，三万人马全军覆没。

就在朱勇率部奋力拼杀时，王振和明英宗带着大军退到了土木堡（今河北怀来东南）。那时候，太阳刚刚下山，有人劝英宗趁天还没黑再赶一阵子路，等进了怀来城再休息。可是王振却因为装运他的财物的几千辆车子还没到，硬要大军在土木堡停了下来。土木堡虽然名字中有个"堡"字，但其实根本没有什么城堡可守，而且附近没有水源，十五里地以外的那唯一一条河当时也已经被瓦剌军占领了。将士们就地挖井，但挖到半夜也没找到水源。大家都渴得要命。

第二天天刚蒙蒙亮，瓦剌骑兵就赶到了土木堡，把明军紧紧地包围了起来。明英宗知道无法突围，只好派人向也先求和。也先一打听，明英宗带领的明军人数还不少，如果硬打，自己也不一定能取胜，就假意答应议和。明英宗和王振信以为真，十分高兴，下令让士兵们到附近找水喝。饥渴难耐的士兵们一听说停战了，争先恐后地奔向河边，顿时乱成一团，将领们想要制止也制止不了。这时候，埋伏在一旁的瓦剌骑兵突然从四面八方冲杀过来，个个抢起长刀猛砍，嘴里还大声吆喝着："活捉明朝皇帝！"明军士兵全无斗志，丢盔弃甲，只顾狂奔乱逃，被杀死的和被战马踩死的不计其数。邝埜等一大帮文武官员都在混乱中被杀。

明英宗和王振带着一队禁军，几次想要突围都没能冲出去。平时作威作福惯了的王振这时候吓得浑身发抖。禁军将领樊忠早就恨透了这个祸国殃民的奸贼，如今看到他那副贪生怕死的嘴脸更加气愤，就怒吼道："我为天

下百姓除去你这个奸贼!"说着,他就抡起手里的大铁锤朝着王振的脑门砸去。王振脑浆迸出,立时毙命。

敌人围了上来,樊忠等人力战而死。明英宗眼看脱逃没有希望,只得自动送上门去当了俘虏。这一场大战使五十万明军损失了一大半,明王朝由此元气大伤。

智 慧 点 灯

本则故事改编自纪事本末体史书《明史纪事本末》的相关章节。兵书上说,战争是关乎国家、民族生死存亡的大事。但在明英宗和王振那里,战争却形同儿戏。明英宗昏庸至极,缺乏知人之明,竟让五十万大军听命于一个太监;王振自私自利,为炫耀权力、贪恋钱财,竟然随意把大军调来调去,毫无章法可言。可以说,明英宗、王振二人在土木堡上演了一幕丑剧。

不过,五十万大军抵挡不住两万骑兵也从一个侧面说明,到明英宗时期,明军的战斗力已经大大下降了。明军在土木堡的这次大败影响深远,客观上成了明王朝生命周期由初期进入中期的转折点。

北京保卫战

　　明朝军队在土木堡被瓦剌（wǎ là）军队打败后，不但五十万大军损失过半，而且一国之君明英宗也被敌人俘虏。消息传到北京，太后和皇后都急得哭哭啼啼。她们从宫里搜集了大量金银珍宝、绫罗绸缎，偷偷地派太监带着财宝去找到瓦剌军，想把明英宗赎（shú）回来。瓦剌首领也先想利用明英宗要挟明朝，不但不同意把他放走，反而继续南下，将战火烧到了北京城下。一时间，京城罩满了战争的愁云，人心惶惶。

　　国家不可一日无君。为了安定人心，皇太后宣布由郕（chéng）王朱祁钰监国，也就是代理皇帝。之后，他们召集大臣，商量对付瓦剌的良策。朝堂上，大臣们面面相觑（qù），不知该怎么办才好。翰林侍讲徐有贞说："瓦剌兵强，而且有备而来，我们恐怕抵挡不住。我夜观天象，感到京城将遭遇大难。请太后和郕王陛下迁都南京，暂时躲避一下，再作打算。"兵部侍郎于谦听到这种昏话，愤然出列，神情严肃地说："京城是国家的根本，朝廷一旦迁都，国家就会陷入动荡之中。大家难道忘记了南宋的教训了吗？主张南迁的，该杀！"于谦的主张得到了许多大臣的支持。于是，郕王命于谦负责指挥军民坚守北京。

　　于谦是浙江钱塘(今浙江杭州)人。他自小就十分钦佩南宋末年的忠臣文天祥,立下了远大的志向。长大以后,他考中进士,做了几任地方官,因为执法严格,廉洁奉公,成为百姓交口称赞的清官,后升任为河南巡抚。宦官王振专权的时候,贪污成风,地方官进京办事,总要先送金银贿赂京官,只有于谦从来不干这种事。有人劝他说:"您不肯送金银财宝,难道就不能带点土特产去吗?"于谦笑了笑,作了一首诗以表明自己的态度:"手帕蘑菇及线香,本资民用反为殃(yāng)。清风两袖朝天去,免得闾阎话短长。"后来,刚正不阿的于谦得罪了大太监王振。王振就指使同党诬告于谦,把于谦打入了监牢。河南、山西的地方官和百姓听到于谦被诬陷的消息,纷纷联名向明英宗请愿,强烈要求释放于谦。王振一伙一看众怒难犯,又抓不住于谦什么把柄,只好将其释放,官复原职。

　　这一回,在京城面临生死存亡的关键时刻,于谦毅然决然地担负起了守城的重任。他一方面加紧调兵遣将,加强京城和附近关口的防御兵力;一方面进行内部整顿,肃清了一批瓦剌军的奸细。

　　一天,早朝将散时,大臣们纷纷要求郕王朱祁钰宣布王振的罪状。朱祁钰觉得明英宗还活着,不便擅自做主。有个叫马顺的宦官是王振的同党,见大臣们不肯退朝,就吆喝起来,想把大臣们赶跑。这一来激怒了大家。给事中王竑(hóng)忍无可忍,上前揪住了马顺,大臣们围过来一阵拳打脚踢,当场把马顺打死在朝堂上。朱祁钰见朝堂大乱,想要躲进内宫。于谦上前拦住了他,说:"王振是导致土木堡兵败的罪魁祸首,不惩办不足以平民愤。陛下宣布王振的罪状,让军民得知奸臣的下场,才能激励士气,保卫京城。"朱祁钰无奈,下令抄了王振的家,惩办了一些王振的同党。随后,于谦等大臣请太后正式立朱祁钰为帝,让被俘虏的明英宗做太上皇。这样一来,瓦剌首

领也先就失去了要挟的资本,明朝内政得到了进一步巩固。

公元 1449 年 10 月,瓦剌军在西直门外扎下营寨,准备攻城。于谦连忙召集众将商量对策。大将石亨认为明军兵力薄弱,主张把军队撤进城里,然后关闭各道城门,只守不攻,认为这样时日一久,瓦剌就会自动退兵。于谦表示反对,说:"敌人非常嚣张,如果我们向他们示弱,只会助长他们的气焰。我们应该主动出击,给他们当头一棒!"接着,他就分派众将带兵出城,在京城九门外摆开了阵势:都督陶瑾守安定门,广宁伯刘安守东直门,武进伯朱瑛守朝阳门,都督刘聚守西直门,镇远侯顾兴祖守阜成门,都指挥李端守正阳门,都督刘得新守崇文门,都指挥汤芦守宣城门。于谦自己则率兵在德胜门外列阵,准备迎击也先主力。于谦布置完毕,率众将士出城后,命令城里的守军把城门全都关闭起来,以示有进无退、誓死一战的决心。他还下了一道军令:将领上阵,抛弃部属带头后退者,斩;士兵不听将领指挥、临阵脱逃者,后队将士可当场斩杀。将士们被于谦勇敢坚定的精神感动了,士气振奋,个个斗志昂扬,决心与瓦剌军决一死战。这时候,各地的明军也接到朝廷的命令,陆续开赴北京支援。一时间,城外的明军增加到了二十二万人。

战斗开始了,也先率领骑兵直扑德胜门。于谦令神机营(明朝时专门使用火器的部队)在空屋里设下埋伏,派几个骑兵前去引诱敌人。也先率一万骑兵逼近后,副总兵范广下令开炮。也先的弟弟孛罗、平彰卯那孩被炮火打死。副总兵武兴在彰义门攻打敌军,和都督王敬一起挫败了也先的前锋。城外的百姓也奋起配合明军作战。他们纷纷跳上屋顶,用砖瓦投掷敌人。凡瓦剌骑兵经过的地方,地面是明军,头顶上是石头瓦片,着实让他们吃尽了苦头。经过五天五夜的激战,瓦剌军死伤惨重。也先见情况不妙,害怕退路被明军截断,就带着明英宗和残兵败将仓皇撤退了。于谦见也先撤退,马上下令再用火炮轰击,又杀伤了一批瓦剌士兵。至此,北京城保卫战取得了

辉煌的胜利。立了大功的于谦备受北京军民的爱戴,明代宗朱祁钰因之十分敬重他,委任他做了宰相。

公元1450年8月,也先见明英宗失去了利用价值,就将他送回北京,重新恢复了与明朝的臣属关系。当年在北京有难时主张迁都的徐有贞,以及被于谦责备过的大将石亨都一直对于谦怀恨在心,想方设法报复于谦。英宗回北京七年后,也就是公元1457年,明代宗生了一场大病。徐有贞、石亨跟宦官勾结起来,带兵闯进皇宫,迎明英宗朱祁镇复位。历史上把这件事称作"夺门之变"。没过多久,明代宗就病死了。

明英宗复位后,还是像以前一样昏庸。他对于谦在自己被俘期间鼓动郕王登基一事耿耿于怀,再加上徐有贞、石亨一伙在他面前说了不少于谦的坏话,于是他就给于谦安了个"谋反"的罪名,把于谦杀害了。于谦写下的著名诗句"粉身碎骨全不怕,要留清白在人间"不幸竟成为他自身的写照。

京城的百姓听到于谦受冤被害的消息后，不论男女老少，个个伤心痛哭。明宪宗即位后，为于谦平反，恢复了他的官衔。明孝宗即位后，又追赠其为太傅，谥(shì)"肃愍"，并为他建了"旌功祠"。万历年间，明神宗为于谦改谥号为"忠肃"。

智 慧 点 灯

本则故事改编自《明史·于谦传》。于谦受命于危难之际，领导军民打败了瓦剌军大规模的武装进攻，保住了京城，使明朝转危为安。北京保卫战的胜利，除了军民的奋勇抗争外，于谦正确的战略决策和卓越的军事指挥才能起了十分重要的作用。他临危不惧，果断沉着，自始至终保持着清醒的头脑，以英明的决断力主动发动攻击，迫使敌军全线撤退；他号令严明，赏罚分明，备受军民爱戴，以至"片纸行万里，无不惴惴效力"。可以预见，于谦所表现出的大无畏精神及其卓越的军事和政治才能将永远为后人传颂。

戚继光抗击倭寇

元末明初之际，日本国内正处于南北分裂时期，封建诸侯割据一方，互相争斗。在斗争中失败的封建主失去生计，就组织了一批武士、浪人到中国沿海地区进行武装走私和抢掠骚扰活动。历史上称这些人为"倭寇"。

明世宗嘉靖年间，有一群日本海盗经常骚扰我国东南沿海一带。他们和中国的土豪、奸商勾结，到处抢掠财物，残害百姓，闹得沿海地区不得安生。嘉靖三十二年（公元1553年），在汉奸汪直、徐海的支持下，倭寇纠集了几百艘海船，在浙江、江苏海滨登陆，分成许多小股，抢掠了几十个城市。当时的明朝政治腐败，海防松弛，沿海的官吏和兵士抵抗不力，见了倭寇就逃，一时间，浙江、江苏沿海成了倭寇的天下。

倭寇的侵扰越来越严重，躲在深宫里的嘉靖皇帝坐不住了，便叫内阁首辅严嵩（sōng）想办法应对。严嵩的同党赵文华出了一个十分可笑的主意，说只要向东海祷告，祈求海神爷爷保佑，就能消除倭寇。嘉靖皇帝居然相信了赵文华的鬼话，叫他到浙江去祭祀海神。赵文华到南方后，为了争功，设计陷害了在抗倭方面很有作为的浙江总督张经。这一来，沿海防务进一步

废弛,倭寇的活动更加猖獗了。直到嘉靖三十四年(公元1555年),一位名叫戚继光的山东将领奉调来到浙江,沿海地区的抗倭形势才好转起来。

戚继光字元敬,登州(今山东蓬莱)人。他从小就好学上进,熟读兵书,并练就了一身的好武艺。从军之后,他屡立战功,因功不断升官,在军中威信很高。早在到浙江之前,他就已听说了倭寇骚扰江南的事情。来到浙江后,他准备大干一场,彻底荡平倭寇。

走马上任后,戚继光马上检阅当地军队,发现他们纪律松散,装备不齐,毫无战斗力可言。这样一支军队怎么能打败倭寇呢? 戚继光决心另外招募新军。他发出招募文书后,马上就有一批饱受倭寇蹂躏(róu lìn)的农民、矿工自愿参军,共计募得三千余人。戚继光深知士兵不经过严格训练是不能上阵的,于是就抓紧时间对这支军队进行了严格的训练,并千方百计地为他们配备了最好的武器装备。很快,这支新军就成长为让倭寇闻风丧胆的"戚家军"。

戚继光根据南方多沼泽、湖泊的特点,认真研究排兵布阵之法,创立了独家阵法——"鸳鸯阵"。这是以十一个人为一个作战基本单位的阵形,长短兵器互助协作,可随地形和战斗需要而不断变化。它以十一个人为一队,队伍最前的是队长,后面两人一持长牌,一持藤牌。长牌手用盾牌遮挡倭寇的重剑、长枪;藤牌手用轻便的藤盾掩护后队前进,还可与敌人近战。再后面的两人为狼筅(xiǎn)手。"狼筅"长一丈左右,是将竹竿一端斜削成尖头,四周留有尖锐的丫杈的武器,可以掩护盾牌手的推进和后面长枪手的进击。紧接着是四名长枪手,左右各两人,分别照应前面的盾牌手和狼筅手。再跟进的是两名使用短刀的短刀手,如果长枪手没能刺中敌人,短兵手即冲上前去劈杀敌人。"鸳鸯阵"充分发挥了各种兵器的效能,而且阵形变化灵活,将倭寇的优势全都给抑制住了。戚继光亲自教士兵使用各种长短武器。经过严格的训练,这支新军的战斗力变得特别强。

嘉靖四十年(公元 1561 年)五月,倭寇纠集了一万余人、五十余艘战船,从宁波、绍兴登陆,大举入侵。戚继光立即督师迎战。戚家军以迅雷不及掩耳之势到达宁海,切断了倭寇的去路,迫使敌人在龙山地区与戚家军展开了决战。

决战开始了。戚继光下令排出"鸳鸯阵",发起全线攻击。戚家军的士兵同仇敌忾(kài),怀着满腔怒火冲向敌阵。曾经不可一世的倭寇在戚家军的猛烈攻击下一触即溃,狼狈败退到雁门岭。雁门岭地势险要,倭寇企图凭借险要地形,顽抗到底。戚家军乘胜追击,经过一番激烈厮杀,将雁门岭上残余的倭寇全都剿灭了。

此时,另一队倭寇趁戚继光进攻雁门岭之际袭击了台州。台州兵力不多,形势十分危急。戚继光闻报后,立即回师救援。戚家军来到台州城下时,倭寇正疯狂地挥舞着大刀攻城。戚继光下令先排起火铳(chòng),集中发射。倭寇猝(cù)不及防,被火铳打得哇哇乱叫。紧接着,戚继光身先士卒,率领骑兵攻入敌阵。在戚继光的感召下,士兵们个个奋勇当先,如猛虎下山般杀入敌阵。狡诈的倭寇招架不住,便将抢夺到的金银财宝扔到地上,引诱戚家军去捡,想以此争取时间撤退。然而倭寇的如意算盘打错了,戚家军纪律严明,金银珠宝根本动摇不了他们。这一战下来,戚家军斩首倭寇上千人,生擒了两个倭寇头目,其余的倭寇都被淹死在江中了。而戚家军仅有十余名官兵阵亡。特别值得一提的是,当戚家军出击时,伙夫刚刚开始做饭,而全军凯旋时饭才刚熟,足见戚家军行动之迅速。

倭寇见浙江沿海防守严密,再不敢来侵犯了。第二年,他们又转到福建沿海骚扰。一路倭寇从温州往南,占据了宁德;另一路从广东往北,盘踞在牛田(在今福建兴化湾东北)。两路倭寇互相声援,声势很大。福州的守将

抵挡不住,向朝廷告急。朝廷随即派戚继光率军前去援救。

戚继光率领戚家军火速赶到了宁德。很快,他们探知敌人的巢穴在宁德城十里外的横屿岛。横屿岛四面是水,地形险要。倭寇在那里建立了大本营。戚继光亲自查看了横屿岛的地形后,决心啃下这块硬骨头。当天晚上潮落之时,戚继光令士兵每人随身携带一捆干草,来到横屿岛对岸,把干草扔在水里。几千捆干草扔在一起,在水面上铺出了一条大路。戚家军踏着干草铺成的路,人不知鬼不觉地直插倭寇大营。经过激烈的战斗,盘踞在岛上的两千多名倭寇全部被歼灭。

戚家军攻下横屿岛后,又马不停蹄地进兵牛田。到了牛田附近,戚继光突然传下命令说:"远路奔袭,人马疲劳,我军先就地休整几天,然后再进军。"这些话被倭寇的探子偷听到了,报给了倭寇的头领。牛田的倭寇以为戚家军会暂时停止进攻,防备也就松懈了下来。当天晚上,戚继光下令向牛田发起了猛攻。倭寇毫无准备,仓促应战,哪里能挡得住戚家军的猛攻猛冲?很快就大败而逃。

从嘉靖三十四年(公元1555年)到嘉靖四十二年(公元1563年),戚继光率领戚家军连战连捷,荡灭了浙江、福建、广东等地的倭寇。明朝的抗倭斗争取得了辉煌的胜利。戚继光也因抗倭得力而声名远播,被人们视为民族英雄,名垂史册。

为了纪念戚继光的丰功伟绩,福建人民后来在于山的平远台建起了一座戚公祠。祠堂内塑有一尊戚继光的胸像,至今仍时常有人前往拜祭。

智慧点灯

本则故事根据《明史·戚继光传》和电影《戚继光》改编而成,讲述了民族英雄戚继光英勇抗击倭寇的事迹。戚继光率领戚家军取得了抗倭斗争的伟大胜利,实现了他"封侯非我意,但愿海波平"的伟大志向,同时也沉重打击了日本侵略者的嚣张气焰,保障了人民的生命和财产安全,维护了东南沿海地区的稳定与发展。

在抗倭斗争中,戚继光采用出其不意、攻其不备、集中兵力打歼灭战的战术,取得了辉煌的战果。此外,戚继光创造了独树一帜的"鸳鸯阵",发挥集体协作、长短兵器结合的机动、灵活、严丝合缝的优势,有力地打击了敌人,这也是戚家军能够屡挫倭寇的重要原因之一。

鹰扬萨尔浒

　　明朝末年,北方的满洲势力逐渐强大起来。其部落首领努尔哈赤统一了各个部族,建立了后金政权。努尔哈赤的祖父和父亲都是在与明军交战时阵亡的,为此,努尔哈赤与明朝结下了不共戴天之仇。明神宗万历四十六年(公元1618年),努尔哈赤借口为父亲报仇,出兵进攻明朝。

　　努尔哈赤亲自率领两万人马进攻抚顺。抚顺守将李永芳见后金军来势凶猛,没作抵抗就投降了。后金轻易占领抚顺后,俘获了大量的人口和牲畜。明朝的辽东巡抚紧急派兵救援抚顺,不料援军在半路上就被后金军打垮了。努尔哈赤下令焚毁抚顺城,带着大批战利品回到了都城赫图阿拉。

　　消息传到北京,明神宗大怒,决定派兵部左侍郎杨镐为辽东经略(官名,即辽东军队的统帅),讨伐后金。经过一番紧锣密鼓的筹备,杨镐集中了十万人马,对外号称四十万以壮声势。次年,杨镐兵分四路,准备进攻努尔哈赤的老巢赫图阿拉。这四路将士分别由四名总兵率领:山海关总兵杜松统领中路左翼;辽东总兵李如柏统领中路右翼;开原总兵马林统领北路;辽阳总兵刘铤统领南路。杨镐自任诸路军总指挥,坐镇沈阳。

那时候,后金的八旗军兵力合起来不过六万多人。一些后金将领看到明朝军队远远多于自己,不免有些害怕,便去找努尔哈赤拿主意。努尔哈赤胸有成竹地说:"当前天气严寒,明军从关内长途跋涉来到关外,人困马乏,肯定会水土不服。我们却占尽天时地利,可以以逸待劳。汉人向来善于虚张声势,不必怕他们。我大金的策略是:凭你几路来,我只一路去!"经过侦察,努尔哈赤得知杜松率领的中路左翼是明军主力,已经从抚顺出发打了过来,就决定集中兵力,首先对付杜松。

杜松从抚顺出发的时候,天上正下着大雪。由于杨镐催得紧,数万名将士只得匆忙地冒雪行军。杜松首先对萨尔浒(在今辽宁抚顺东)发起了进攻。当时后金在萨尔浒只有一万多人,而且大多是正在筑构工事的工匠役夫。见明军来袭,他们立即避其锋芒,向不远处的吉林崖转移。明军全力追赶,不料后面的部队遭到了隐藏于山谷地区的后金骑兵的伏击。随后,驻扎于吉林崖的后金步兵也连连向明军发起攻击。杜松以为他们是薄弱环节,就下令对其进行包围、攻打。双方交战激烈,战争一度进入胶着状态。后来,杜松把一半兵力留在萨尔浒扎营,自己则亲率另一半兵力前去攻打吉林崖。努尔哈赤见杜松分散了兵力,心里暗暗高兴,立即集中八旗军的优势兵力,直扑萨尔浒的明军大营。

次日午时,八旗军赶到了萨尔浒,双方遂展开决战。此时天色阴晦,人几米内就无法看清前面的东西。努尔哈赤非常善于使用骑兵。将铁骑集中起来,攻入敌人的方阵,突破敌军战线,驱散步兵,这就是他获取胜利的秘诀。后金主力骑兵部队突然来到萨尔浒,大出明军意料之外,明军大营顿时陷入混乱。

明军用火把照明,试图用火炮杀伤敌人的骑兵。但是由于气候严寒,加上天色昏暗,明军的火炮难以发挥威力。而后金军反而可以借着明军火把

的光亮向明军的炮营射箭,明军伤亡惨重。

　　见明军的防线已有所松动,努尔哈赤决定派精锐铁骑从后面攻击明军。满洲骑兵机动性特别强,善于夜里作战,也习惯恶劣的天气。随着努尔哈赤一声令下,数千铁骑高喊着"杀啊!"猛虎下山般地冲向明军。明军前军遭遇八旗军的进攻,后军又受到精锐铁骑的攻击,阵脚大乱。很快,萨尔浒大营就土崩瓦解了。

　　努尔哈赤取得萨尔浒大捷之后,就腾出手来对付杜松带领的部队,派出精兵驰援吉林崖。明军听到萨尔浒大营陷落的消息后,军心动摇,士气低落,已无力发起攻击。努尔哈赤率领大军赶到后,把明军团团围住。明军主将杜松左冲右突,想要突围,不料被一支箭射中头部,当场阵亡。明军仓皇奔逃,被杀得尸横遍野。至此,明军的中路左翼军也覆灭了。

　　北路军在开原总兵马林的带领下刚刚到达离萨尔浒四十里的地方,就听说了杜松兵败的消息,吓得急忙转攻为守,就地扎下营垒。努尔哈赤率领八旗军从吉林崖马不停蹄地赶来,趁明军还在构筑营垒之时发起了进攻。马林见抵挡不住,没命地奔逃,一直逃到开原才停下。就这样,第二路明军又被努尔哈赤打散了。

坐镇沈阳的杨镐原以为明军会旗开得胜,没想到一连两天接到的都是两路人马先后失败的坏消息,惊得目瞪口呆。他这才知道努尔哈赤的厉害,连忙派快马传令,让另外两路明军立刻停止进军。

统领中路右翼军的辽东总兵李如柏本来就胆小如鼠,行动迟缓。他接到杨镐的命令后,正中下怀,忙不迭地率领大军撤退。在附近巡逻的二十来个后金哨兵远远望见明军撤退,便大声鼓噪。明军士兵误以为后面有大批追兵,都争先恐后地逃跑,自相践踏,死伤不少。

杨镐发出停止进军命令的时候,刘铤统领的南路军已深入后金军的阵地,其他各路明军失败的情况他一点儿也不知道。刘铤是明军中出名的猛将,使一口一百二十斤的大刀,外号叫"刘大刀"。南路军军令严明,武器火药也多,进入后金阵地后连破几个营寨。努尔哈赤知道刘铤骁勇,不能靠硬拼来取胜,便选了一个投降过来的明兵,叫他冒充杜松的部下送信给刘铤,说杜松已打到赫图阿拉城下,只等刘铤率部去会师攻城。

刘铤信以为真,下令火速进军。忽然,杀声四起,漫山遍野的后金伏兵向明军杀来。刘铤正在着急,努尔哈赤派出的一支后金军穿着明军的衣甲,打着明军的旗帜,装扮成杜松所部前来接应他们了。刘铤毫不怀疑,把人马带进了假明军的包围圈里。结果后金军里应外合,四面夹击,毫不费力地全歼了刘铤军。刘铤壮烈殉(xùn)国。

这场战争从开始到结束,只用了五天时间。后金军大获全胜,杨镐率领

的十万明军损失了一大半。萨尔浒之战后,明朝元气大伤,后金乘势步步进逼。又过了两年,努尔哈赤就率领八旗军接连攻占了辽东重要据点沈阳和辽阳。

智 慧 点 灯

本则故事根据《清史稿·太祖本纪》和电视剧《努尔哈赤》改编而成。努尔哈赤指挥后金军连败明军的萨尔浒之战是我国军事史上集中优势兵力、各个击破的出色战例。在萨尔浒之战中,努尔哈赤自始至终掌握着战争的主动权,表现出了卓越的军事才能。

萨尔浒一战改变了大明与后金的对抗格局。此战之后,明朝的力量大为衰落,再也无力抵制后金的发展和扩张,被迫由战略进攻转入战略防御;而后金的力量进一步增强,政治野心也随之日益膨胀,由战略防御转入了战略进攻。

山海关大决战

公元 1644 年，大明王朝走到了尽头。李自成率领数十万起义军，渡过黄河，分两路进攻北京。两路大军势如破竹，于 1644 年三月在北京城下会师。城外驻守的明军最精锐的三大营——五军营、三千营、神机营都望风投降。消息传到皇宫，崇祯皇帝慌了手脚。一筹莫展之际，他想起了防守北部边境的辽东总兵吴三桂。

吴三桂出身武举，是锦州总兵吴襄的儿子，常年镇守边关。他手下拥有明朝当时最强大的部队——关宁铁骑，主要任务是守卫关宁（今辽宁兴城），防止清兵的入侵。但是此时北京告急，崇祯皇帝顾不得吴三桂所担负的边防重任了，急召他入卫京师。三月中旬，吴三桂接到命令后，立即下令将宁远地区的几十万百姓内迁，然后便率军马不停蹄地向北京城进发。

吴三桂的大军才刚抵达北部重镇山海关，李自成的农民起义军已经攻进北京了。崇祯皇帝慌乱之中登上煤山（今北京景山），上吊自杀了。

吴三桂听到北京陷落、崇祯皇帝自杀身亡的消息，十分震惊。不久，原明朝居庸关总兵、已投降李自成的唐通率八千人马来到山海关，想要劝吴三桂投降。他对吴三桂说："现在崇祯已死，李自成建立了大顺朝。改朝换代，

自古亦然。既然太祖(指朱元璋)能由一个和尚成为真命天子,那么李自成这个农民又为什么不能做皇帝呢? 请将军三思。"吴三桂考虑了很久,深知唐通带兵前来,既是为了劝降,更是为了威胁,而现在关宁铁骑前不能进,后不能退,最简单快捷的出路就是投降大顺。

过了几天,李自成派使者来到吴三桂的军营,申明归降后将会给他四个月的军粮及白银四万两,以后还有厚赏。对于已缺饷(xiǎng)一年多的吴军来说,李自成的军粮可解燃眉之急。吴三桂犹豫了很长时间,最终决定投降。但是就在这关键时刻,一封信改变了吴三桂的决定。这封信是北京城内吴三桂的府上送来的。信上说他的父亲吴襄被李自成手下的大将刘宗敏抓走了。他家里已经凑够了五万两,但离刘宗敏的要求二十万两白银还差很远,结果老父遭到严刑拷打。此外,他的爱妾陈圆圆也被刘宗敏霸占了。吴三桂看完信后怒不可遏,让使者给李自成带话:"我吴三桂与李自成势不两立!"随即,他马上起兵击退唐通,并下令说要为死去的崇祯帝报仇,让将士们一律换上白盔白甲,准备进击李自成。

李自成得知吴三桂拒绝投降后,决定亲自率领二十万大军,进攻山海关。吴三桂得到消息后,非常担心。他的军队只有五六万人马,根本无力抵抗李自成的大军。无奈之下,吴三桂想到了曾经数次招降自己的清朝。此时,十几万八旗劲旅正陈兵关外,虎视眈眈,随时准备杀入关内。吴三桂为了自保,决定派使者到清营中求和,将自己的求救信送到了清军统帅多尔衮那里。信上说:"我蒙先帝提拔,担任辽东总兵的重任,如今李自成这样的'流贼'抢掠财物,罪恶滔天,天人共怒。我不忍看到百姓遭难,准备带兵收复北京。但是我的军队不多,恐怕难以完成重任,所以想请王爷您帮忙。"最后,他提出了借兵条件:给予清军金银财帛,割地与清朝。多尔衮收到信后大喜,认为这是清朝入主中原、夺取天下的大好机会,于是欣然同意了吴三

桂的请求,发兵向山海关奔去。

　　此时的李自成还不知道吴三桂已经降清,正率领大军从南面向山海关开来。二十多万起义军依山靠海,浩浩荡荡,呈一字长蛇阵摆开。山海关四面分别是东、西罗城和南、北翼城,起着拱卫县城的作用。其中除南翼城偏近大海以外,其他三个城均是起义军攻取整个关城的障碍。因此,李自成率大军到山海关之后,立即部署作战计划,调兵遣将,准备先拿下这三个城池。吴三桂率领关宁铁骑布阵迎敌。两军对垒,从上午八九点钟一直厮杀到中午一点左右,历时四五个钟头。起义军人多势众,加上战术得当,首先在西北角击退了吴三桂的铁骑。随后,义军数千骑兵飞驰而过,到达西罗城的北侧,准备登城。守卫西罗城的吴军将领一面假意派人与起义军谈判,说是要投降,一面派部队偷偷出城,从侧面偷袭起义军。同时,吴军还在城上架起大炮猛轰,结果使起义军攻取西罗城的行动功败垂成。

就在两军浴血奋战时,老奸巨猾的多尔衮带领清军来到了距离山海关仅十几里的地方。清军已经能听到战场上的炮声了,前去打探消息的探子说吴三桂正在与起义军血战,两军伤亡都很大。多尔衮决定先按兵不动,等吴三桂与起义军两败俱伤时再挥兵杀进战场。

　　山海关这边的战斗还在继续。李自成骑马登上西山,亲自指挥作战。吴三桂带兵刚冲出城,起义军的左右两翼就合围包抄上去,把他们团团围住。吴军东冲西突,试图杀出重围,起义军个个拼命血战,喊杀声震天动地,两军展开了残酷的肉搏战。双方激战正酣的时候,突然起了一阵狂风,把地面上的尘沙都刮了起来。刹那间天昏地暗,对面都看不到人,但两军却仍纠缠在一起,苦战不休。

　　炮声隆隆,箭如雨下,李自成与吴三桂苦战了大半天,一直打到下午时分。这时的吴三桂就像是瓮中之鳖,已几乎没有脱身之路了。多尔衮见时机成熟,命令埋伏在阵后的数万骑兵一起出动,突进山海关,向起义军发起了猛攻。

　　起义军先前已经与吴军战斗了大半天,伤亡很大,已根本无法再抵挡一支养精蓄锐的生力军。何况,清军此次南下,出动了将近二十万人马,再加上吴三桂五万多名关宁铁骑,在数量上已经超过起义军,占尽了优势。李自成在西山上发现清兵进关了,想稳住阵脚,指挥抵抗,但却已经来不及了,起义军的防线很快就被冲垮了。李自成没有办法,为了不被敌人包围,只好传令后撤。多尔衮和吴三桂的队伍里外夹击,起义军损失惨重。最后,山海关大战以李自成的彻底失败而告终。

　　李自成回北京后,匆忙地在皇宫中举行了登基大典,接受官员的朝见。第二天一早,他就率领起义军仓皇离开了北京,向西安撤退。李自成离开北京才三天,多尔衮就率清军耀武扬威地开进了北京城。

智慧点灯

"两京锁钥无双地，万里长城第一关"，山海关地势险要，历来是兵家必争之地。发生在三百多年前的山海关大战是明、清两个王朝更替之际的关键性一役，也是李自成的农民起义军由胜利走向溃败的转折点。其时，吴三桂无视国家安危，以个人利益为出发点，引狼入室，加速了明王朝的灭亡；多尔衮抓住机会，夺取了"天下第一关"，使清军的铁骑从此以后横行无阻，最终统一了中国；李自成受此重创，一蹶不振，只得拱手将大好江山让给了别人。一场战役，关乎三方的生死存亡，其战况之惨烈在我国古代战争史上首屈一指。

史可法扬州抗清

　　清顺治初年,清军进入山海关,随即以风卷残云之势猛扑长江以南地区,企图消灭南明的弘光小朝廷,一统天下。清军所到之处,强制推行"留头不留发,留发不留头"的"剃发令",激起民众的强烈反抗。各地民众纷纷高呼"头可断,发决不可剃"的口号,自发聚集起来抵抗清军。

　　顺治二年(公元1645年)四月,清朝豫亲王多铎(duó)率领大军包围了扬州(今属江苏),逼令驻守扬州的明军投降。当时驻守扬州的明军统帅是明末重臣史可法。他发誓与扬州城共存亡,宁死不降。

　　史可法,字宪之,祥符(今河南开封)人,崇祯元年(公元1628年)中进士,是有名的清官。当年,他的老师、明朝大臣左光斗因为反对大奸臣魏忠贤而被关在暗无天日的锦衣卫狱内,受尽酷刑。史可法焦急万分,用银两贿赂了看守,进入牢狱去看望老师。当他看到老师因遭受火刑而面孔焦烂,膝下的筋骨也脱露出来时,不禁抱着老师失声痛哭。左光斗苏醒过来,听出是史可法的声音,强忍剧痛,生气地说:"你知道这是什么地方吗? 你这样鲁莽简直是自投罗网啊! 你若再遭遇不测,往后靠谁去整顿国家啊? 赶紧离开这里,否则我现在就亲手打死你!"说着就拿套在手上的铁环向史可法打去。史可法无奈,流着泪离开了牢狱。不久,左光斗就被魏忠贤杀害了。后来,史可法曾含泪对身边的人说:"我师左光斗的肝胆,是用铁石铸成的。"左光斗的铮铮铁骨对史可法的一生产生了重要的影响。

南明弘光王朝建立后,史可法请求到前线带兵抗清。当时扬州是南明首都南京外围的最后一道防线,也是清兵攻打江南的必经之地。南明朝廷虽然批准了史可法的请求,派他去扬州当督师,但却无法给他调拨足够的兵马。虽然如此,心怀报国之志的史可法还是义无反顾地踏上了去往扬州的路。到扬州后,他积极操练兵马,认真加固城防,同时想尽办法筹备粮草,招兵买马,准备与清兵决一死战。史可法清正廉洁,将朝廷赏赐给自己的财物全都分发给将士,又能与兵士同甘共苦,因而深受将士们的拥护与爱戴。

多铎一直很器重史可法,不想与他临阵对战,便派部将李遇春带着自己的亲笔书信去见史可法。李遇春带着多铎的亲笔信来到扬州城下,大声叫道:"我是多铎将军派来的,要见你们史大人。"史可法听说后,不让士兵开城门,而是亲自来到城楼上与李遇春相见。史可法问李遇春:"多铎派你来做什么?"李遇春谄媚地说道:"我们将军听说史大人的名声很好,不愿意与您为敌,希望您开城投降,保您尽享高官厚禄。"史可法闻言大怒,斥道:"扬州士民都是大明子民,岂可与蛮族为伍? 赶紧回去回报你们主子,我史可法宁死不降,誓与扬州共存亡!"李遇春还要再说什么,史可法举起弓箭,要朝他射去。李遇春一看,慌忙溜走了。多铎见招降不成,便下令攻城。

四月十八日,清军在扬州城外竖起云梯,试图突破城墙。史可法派诸将分守各门,并亲自披甲执戈,镇守西门。扬州守军在史可法的指挥下,用火砖、火球、火箭、木头和弓弩等武器誓死守城。清军攻打了一天一夜,扬州城纹丝不动。次日,多铎亲自督战,又发动了第二轮进攻。这时,扬州百姓也

纷纷前来助战,他们拆房挖墙,把檩木、巨石等源源不断地运往城头,更有直接到城头参与战斗的。军民一心,一次次打退了清军的进攻。

三天后,清军的炮队赶到,在扬州城外架起红衣大炮,朝城墙和城门处猛轰。史可法一面命令守军以大炮还击,杀伤敌人的有生力量,一面组织军民防堵缺口,只要城墙有崩塌处,立即就有人用木料和土袋填上去。

就这样,史可法率将士们又死守了几日。这时候,扬州城内的粮食越来越少,将士们只能以草根、野菜、老鼠充饥,身体非常虚弱。史可法以身作则,与士兵们一同进餐,极力鼓舞士气。

多铎见数万大军竟然攻不下一个小小的扬州,恼羞成怒,下死命令让清军不分昼夜地攻城。清军摇旗呐喊,一拥而上,迅速通过城上大炮的火力网,冲到了城墙根。史可法见敌人攻到城下,下令让弓箭手们直射城下。清军像疯了一样,一名清兵倒在箭下,另一个就又补了上来。很快,尸体越堆

越高,到最后清军甚至不需要借助云梯就能爬上城墙了。

守城的士兵在城楼上与清军展开了肉搏战,斩杀清军数千人。然而敌众我寡,在清军大炮的猛轰之下,扬州城墙的西北角坍塌了,成千上万的清军蜂拥进城。就在扬州军民与清军展开激烈的巷战之时,史可法率领部队离开城北门的炮台,骑马穿过内城,直奔南门,希望从那儿出去,然后从侧翼进攻清军。但为时已晚,清军已包围了南门。史可法意识到,扬州就要沦陷了。他仰天长叹一声,猛地拔出佩剑,想要自刎(wěn),好在被部将史德威把剑夺了下来。史可法对史德威说:"你跟随我多年,今日我有一事相托,请你务必答应。"史德威跪下泣道:"请大人直言。"史可法说:"我誓死保卫扬州,决不降清。我死后,请把我葬在扬州城外的梅花岭上。"史德威流着泪答应了。混战中,史可法被清军团团包围。最后,史可法被一个认识他的清军将领俘虏了。扬州保卫战就此失败了。到这一天为止,扬州军民一共抵抗了清军长达七天七夜的猛攻。

多铎得知史可法被俘虏后,亲自前来劝降。他说:"以前我写信给先生,希望先生归顺,先生都没有听从。现在扬州已经被我们攻下了,先生也完成了自己的任务,我希望先生能重新考虑。"史可法斩钉截铁地说:"我只求一死,别的话你不用说了!"多铎见史可法意志如铁,就将他处死了。

扬州陷落以后,多铎因为攻城的清军伤亡很大,心里恼恨,竟然灭绝人性地下令"屠城"。大屠杀持续了十天,扬州军民死亡八十万人。历史上把这件惨案称作"扬州十日"。

史可法死后十二日,侥幸逃得性命的史德威回城找寻他的尸体,但没有找到。一年后,史德威将史可法的衣冠葬在了扬州城外的梅花岭上。

智慧点灯

本则故事根据相关史料改编而成。扬州之战是清军南下途中遇到的一次规模较大、伤亡较重的攻城战。它之所以被载入史册并大书特书,主要是因为以史可法为代表的南明军民在战斗中不畏强暴,表现出了视死如归、以身殉(xùn)国的高尚气节。

扬州沦陷后,清军残忍地"屠城"(详见明末人王秀楚的《扬州十日记》),屠杀了数十万扬州军民。这给这场战争涂上了一层十分强烈的悲剧色彩。

康熙定三藩

　　顺治皇帝死后,他的儿子爱新觉罗·玄烨(yè)继位,是为康熙帝。康熙即位的时候才八岁,按照顺治的遗诏,由四个辅政大臣帮助他处理国家大事。这四个辅政大臣是索尼、苏克萨哈、遏必隆和鳌(áo)拜。其中,索尼年事已高,苏克萨哈爵位较低,威望也不高,鳌拜功勋卓著,遏必隆则依附鳌拜。鳌拜仗着掌握兵权,目中无人,又觉得康熙年幼好欺负,就把持朝政,独断专行。

　　随着年龄的增长,康熙意识到了鳌拜的威胁,开始考虑铲除他。康熙物色了一批十几岁的贵族子弟担任侍卫,天天和他们在一起练习摔跤。鳌拜进宫时,常常看到这些少年吵吵嚷嚷地在御花园里摔跤。他只当是他们是闹着玩,一点儿也不在意。一天,鳌拜接到康熙的诏令,要他单独进宫。鳌拜像平常一样大摇大摆地走进宫中,忽然,一群少年拥上来围住了他,有的拧胳膊,有的拖大腿。鳌拜虽然是武将出身,但是由于猝(cù)不及防,一下子就被打翻在地,束手就擒。就这样,康熙除掉了鳌拜这个心腹大患,开始了真正意义上的亲政。这一年,康熙才十四岁。

　　康熙亲自执政后,大力整顿朝政,奖励生产,惩办贪官,使新建立不久的

清王朝渐渐强盛起来。当时,南明政权虽然已经灭亡了,但是南方还有三个藩王,这让康熙十分担忧。

这三个藩王是平西王吴三桂,镇守云南、贵州;平南王尚可喜,镇守广东;靖南王耿仲明,镇守福建。他们本来是明军将领,后来归顺清朝,帮助清朝平定了南方。清王朝认为他们平叛有功,就封他们为王,时称"三藩"。三藩在所镇守的省份权力非常大,不仅可以委任一些官员、征收赋税等,还拥有自己的军队。三藩之中,数吴三桂实力最强。吴三桂当上平西王之后,统兵十余万,十分骄横,根本不把朝廷放在眼里。其他两个藩王也割据一方,形成了独立王国,严重威胁着清王朝的统治。据当时的户部统计,朝廷用于三藩的兵饷(xiǎng)每年都在两千多万两白银上下,这对清王朝来说无疑是一笔非常沉重的负担。康熙知道,一定要找机会削弱三藩的势力,否则大清王朝永无宁日。他无时无刻不在考虑怎样撤藩才会动静最小,终于,撤藩的机会来了。

康熙十二年(公元1673年)春,平南王尚可喜以自己年事已高为由,上书朝廷要求回辽东老家,同时提出想让儿子尚之信继承王位,留镇广东。康熙批准了尚可喜告老还乡的要求,但是却不让他儿子接任平南王的爵位,而是让他全家一起迁回辽东。消息一经传开,尚可喜还没说什么,就已触动了吴三桂和耿精忠(耿仲明的孙子)。他们俩想试探一下康熙对自己的态度,便假惺惺地也提出辞去藩王爵位、回到北方的请求。这些奏章送到朝廷后,康熙召集朝臣商议。许多大臣都认为吴三桂他们要求撤藩是假,窥探朝廷对各藩的态度是真,如果批准他们的请求,他们一定会造反。因此,大臣们建议康熙暂时保留各藩王的封号,不要答应他们的撤藩要求。康熙经过仔细考虑,果断地说:"吴三桂他们早就有野心了,撤藩,他们要反;不撤藩,他们迟早也要反。不如来个先发制人,取得撤藩行动的主动权。"随后,他即下诏答复吴三桂等人,同意他们撤藩。

诏令一下，吴三桂果然暴跳如雷。他一直以清朝的开国重臣自居，而年纪轻轻的康熙居然要撤他的权，让他颜面尽失，他觉得自己非反不可了。

很快，吴三桂就在云南起兵。为了笼络民心，他脱下清朝王爷的袍服，换上明朝将军的盔甲，跑到南明皇帝永历帝的墓前假惺惺地哭了一番，说是要起兵替明王朝报仇雪恨。吴三桂装模作样的戏码欺骗不了百姓，人们都还很清楚地记得，把清兵"请"进中原的正是吴三桂，最后杀死永历帝的也是吴三桂。现在他居然打起光复明朝的旗号来，这能欺骗得了谁呢？

不过，吴三桂在云南一带经营了数十年，势力已非常庞大。许多地方官出于畏惧，都在吴三桂大军到来之时不战而降了。因此在战争初期，吴三桂打了几场胜仗，夺取了很多地盘，所属部队一度打到了湖南。不久，吴三桂派人跟广东的尚之信和福建的耿精忠联系，约他们共同起兵。这两个藩王看到吴三桂节节胜利，认为有机可乘，也举旗造反了。这之后，整个江南地区陆续都被叛军占领了。

远在北京的康熙并没有被貌似不可一世的三藩之乱吓倒,而是根据时局变化,冷静地运筹帷幄。他决定以湖南为主战场打击叛军。当时陕西提督王辅臣态度暧昧,叛而附,附而又叛。康熙为了稳定西北,以极大的耐心争取他,表示"往事一概不究",终于在康熙十五年(公元1676年)把王辅臣争取过来。康熙保住了陕西,使吴三桂打通西北直取北京的阴谋破产了,清军得以腾出兵力增援南方。后来,康熙又利用耿精忠与吴三桂等人的矛盾,多方招抚耿精忠。当时耿精忠的部队因军饷匮乏,沿途烧杀抢掠,已丧失了民心。见大势已去,耿精忠就归附了朝廷,清军随之收复福建。不久,尚之信见吴三桂成不了大气候,也表示愿意降服,清军随之进驻广东。由于康熙处置得当,吴三桂失去了外援,在政治上和军事上都陷入了孤立。

康熙十七年(公元1678年),战局对叛军更加不利了。吴三桂此时已起兵八年,年已将近七十岁。这年三月,吴三桂为了鼓舞士气,在衡州(今湖南衡阳)称帝,立国号为周。但这一招并没有起到什么作用。吴三桂坐困衡州,一筹莫展,几个月后就病死了。随后,清军分三路攻进云南,吴三桂的孙子吴世璠自杀。至此,清军取得了平定三藩的胜利。

智 慧 点 灯

本则故事根据史料记载和历史小说《康熙皇帝》改编而成。平定三藩是康熙亲政后为维护中央集权和国家统一而采取的一个重要举措。经过这场战争,清王朝消灭了地方割据势力,制止了分裂,为稳定、繁荣的"康乾盛世"的形成奠定了基础。吴三桂等人发动叛乱,目的在于分裂国家,绝不会得到人民群众的支持,其失败是必然的。这也从侧面说明了"搞分裂不得人心"这一道理。

郑成功收复台湾

清军南下之时,明朝的残存势力拥立唐王朱聿(yù)键在福州即位,改元隆武,是为隆武小朝廷。原明朝福建总兵郑芝龙统管当时福建的全部兵马,权倾朝野。他拥立唐王,并非为了抗清复明,而是为了保住自己在沿海地区的特权。一年后,清军进军福建,派人劝降郑芝龙。郑芝龙贪图富贵,就抛弃了隆武皇帝,向清朝投降了。

郑芝龙有个儿子叫郑成功,曾任隆武帝御营中军都督,不仅作战勇敢,而且忠心耿耿。郑芝龙投降清廷前,郑成功曾苦苦劝阻。后来,他见父亲执迷不悟,一气之下跑到了烈屿(小金门),招募了几千人马,举起了抗清的义旗。清王朝知道郑成功是个将才,几次三番派人前去招降他,但都被他严词拒绝了。最后一次,清廷派郑成功的弟弟带去了郑芝龙的亲笔劝降信。弟弟对郑成功说:"如果你再不投降,只怕父亲的性命难保。"郑成功不但没有动摇,反而给郑芝龙写了一封回信,与他断绝了父子关系。

几年后,郑成功的兵力逐渐强大起来。他在厦门建立了一支水师,控制了整个福建沿海。清军步步进逼,妄图用坚壁清野的办法困死郑成功的部

队。他们命令福建、广东沿海的百姓后撤四十里,以断绝郑军的粮草供应。郑成功见清军来势汹汹,自己在招兵筹饷(xiǎng)方面遇到了极大的困难,就决定转而向台湾岛发展,打破清军的封锁。

台湾自古以来就是中国的领土。明朝末年,荷兰殖民者趁明王朝腐败无能,霸占了台湾,向台湾人民征收苛捐杂税。台湾人民不断反抗,但遭到了侵略军的残酷镇压。郑成功少年时期曾跟随父亲到过台湾,亲眼看到了台湾人民遭受的苦难,早就想收复台湾了。这一次,他下决心赶走侵略军。恰好在这时候,有一个在荷兰军队里当过翻译的中国人何廷斌赶到厦门,求见郑成功。他极力劝郑成功收复台湾,说:"台湾百姓饱受'红毛贼'(指荷兰殖民者)的欺侮、压迫,早就想反抗了。只要将军大军一到,他们一定会一呼百应。"何廷斌还献给郑成功一张台湾地图,把荷兰侵略军的军事部署都告诉了他。郑成功有了这个可靠的情报,进军台湾的信心更充足了。他很快就制订出了收复台湾的作战方针:首先收复澎湖,然后以此为基地前进,乘涨潮之机通过鹿耳门港,占领台湾城(在今台湾台南境内)与赤嵌城(在今台湾台南境内),驱逐侵略者。

经过周密准备,清顺治十八年(公元 1661 年)三月,郑成功率领两万五千多名士兵,乘数百余艘大小战船,从福建金门岛出发,先占领了澎湖列岛,然后就展开了收复台湾的伟大壮举。

在发起登陆战前,郑成功给驻台湾的荷兰总督发出了招降书,义正词严地指出:"台湾自古以来就是中国的土地,今天我们要把它收回来。奉劝你们早日投降!"荷兰侵略军司令官揆(kuí)一非常狂妄,对郑成功的正义要求毫不理会,狂妄叫嚣"二十五个中国人合在一起也比不上一个荷兰兵","只要我们放一阵排枪,他们就会吓得四散奔逃"。在这样的情况下,战争不可避免地爆发了。

郑成功事先已调查清楚，要顺利进入鹿耳门港，必须利用每月初一和十六的大潮，如果错过时机，就要向后推迟半个月。他亲自带队，成功利用潮汐的规律，顺利地在鹿耳门港一带登陆。

台湾人民听说郑成功的部队来收复台湾了，都高兴地跑来迎接。郑成功鼓励大家团结一致，誓将荷兰殖民者驱逐出台湾去。当地百姓纷纷表示愿意接受他的领导，和收复大军一起，驱逐侵略者。

大军登陆后，郑成功指挥军队包围了荷兰侵略军盘踞的军事重镇赤嵌城，并切断了赤嵌城与台湾城之间的联系。荷兰侵略军司令官揆一凭借其坚船利炮，兵分三路向郑军实施反扑：一路集中战舰向停泊在海上的中国船只进攻，一路由贝德尔上尉带领在北面抵抗登陆的郑军，一路由阿尔多普上尉带领，作为预备队准备增援。

战斗开始了。贝德尔指挥荷兰侵略军以十二人为一排，展开战斗队形，朝郑军放排枪，试图驱散郑军。郑成功命令部下陈泽率主力从正面迎击，另派一部分士兵迂回到敌军侧后方，夹击荷军。贝德尔发觉自己腹背受敌后，顿时手足无措。他的部下们开了几枪后便把枪丢掉，抱头鼠窜，落荒而逃。郑成功一声号令，将士们奋勇向前，一举歼灭了贝德尔率领的敌军。与此同时，阿尔多普的援军也被郑成功的军队击溃了。

荷兰侵略军慌了，派出了全部战舰，向郑军发动猛攻。侵略军的战舰船体很大，设备也很先进。但郑成功毫不畏惧，派出六十余艘大型帆船包围了荷兰战舰。荷舰"赫克托"号首先开炮，其他战舰也跟着开火。郑成功的水军在大将陈广和陈冲的指挥下，个个奋勇争先，成功击沉了敌舰"赫克托"号，并尾追"格拉弗兰"号和"白鹭"号不舍，同他们展开了接舷战、肉搏战。英勇的郑军士兵冒着敌人的炮火爬上"格拉弗兰"号，用铁链扣住敌舰的船头，然后放火焚烧。大火熊熊燃烧，把海面照得通红。一场激战下来，荷兰侵略军的防线被击破,荷舰"赫克托"号被击沉,"格拉弗兰"号和"白鹭"号遭受重创,好不容易才挣扎着逃了。随即,郑成功一鼓作气,收复了赤嵌城。这时,他们才刚刚登陆四天。

　　荷兰侵略军遭到惨败后,龟缩在城堡里再也不敢出战了。他们一面偷偷派人到巴达维亚(今爪哇)去搬救兵,一面派使者到郑军大营求和,说如果郑成功肯退出台湾,他们就献上十万两白银。郑成功威严地说:"台湾本来就属于我们中国,我们收回来是理所当然的事情。如果你们赖着不走,我们就把你们赶到海里去!"

　　郑成功喝退荷兰使者后,举兵猛攻台湾城。台湾城里的敌军因粮食缺乏,疫病流行,饿死、病死者达两千余人,逃亡、投降事件接二连三地发生。郑成功命令部队架起大炮,居高临下地向台湾城内猛烈轰击。荷军无力反击,乱作一团。

1662年2月1日,荷兰侵略军司令官揆一向郑成功投降,交出了所有城堡、武器、物资,灰溜溜地离开了台湾。至此,被荷兰殖民者侵占近四十年的宝岛台湾重新回到了祖国的怀抱。

郑成功成功收复台湾,维护了中华民族的根本利益。他向来被认为是中华民族的英雄。

智慧点灯

本则故事改编自相关史料。郑成功收复台湾,是中国人民反抗外来侵略的一次巨大成功。它结束了荷兰侵略者对台湾岛的殖民统治,维护了中华民族的根本利益,捍卫了中国的主权和领土完整,显示了中国人民勇于反抗外来侵略的大无畏精神。

郑成功善于捕捉战机,战法灵活,经过登陆作战,从荷兰侵略者手里收复了我国的神圣领土台湾。作为中国历史上杰出的民族英雄,郑成功将永远受到后人的景仰与赞颂。

镇南关大捷

    19 世纪中后期,法国殖民者推行侵略扩张政策,持续对越南、中国用兵,逐渐占领了越南全境。1885 年春,法军攻占中越边境上的重镇镇南关(今广西友谊关),把战火烧到了中国境内。消息传来,广西大震。形势十分危急,老百姓四处逃难。法军统帅尼格里派人在镇南关的墙壁上写下了这样的狂妄标语:"广西的门户已经不复存在!"很明显,他们决心要以此为突破口,长驱直入,占领中国南部。

    清政府见形势危急,连忙把山西巡抚张之洞调任两广总督,让他主持防御西南边境。张之洞上任后,起用了前广西提督、老将冯子材,让他负责练兵抗敌。冯子材是钦州(今属广西)人,当时已经快七十岁了,曾经一度解甲归田。当法国侵略军步步进逼,窥(kuī)视中国南疆之时,忧心国事的冯子材曾多次派人深入越南境内,探听法军虚实。

    得知冯子材被朝廷起用,而且正在招募士兵,当地百姓纷纷前来投奔。大家群情激奋地要求老将军带领他们跟侵略者决一死战。冯子材亲自挑选和训练士兵,编成了十八营军队,准备开赴边境作战。

就在冯子材整装待发之际,抗法前线的形势骤然恶化,法军前锋已经深入我国境内二十余公里。在这危急时刻,冯子材毅然率领一万多名士兵赶赴前线,担负起了保卫祖国边疆的重任。临行前,他嘱咐家人:"我此去是为国效忠,万一军队失败,广西就会被外国人占领。到时候希望你们迁往江南,免得受外人奴役。"他还把两个儿子带在身边,准备万一自己战死沙场,好让他们来为自己料理后事。到达前线后,冯子材召集各路将领共商对策,勉励大家以战事为重,同心协力保家卫国。

法国侵略军得知中国军队大举到来后,炸毁了镇南关城墙及附近的工事,退回文渊城(在今越南)。冯子材见状,决定立即率领军民在距镇南关十里的关前隘(ài)修筑防御工事。

关前隘地形十分险要,两旁是崇山峻岭,中间有一条狭窄的通道,是一处易守难攻的关口。冯子材率领军民在隘口前抢修了一道三里多长的长墙,把东西两岭围在墙内;还在墙外挖掘了四尺多深的长壕,使敌人不易接近;并在山岭险要处构筑了炮台,居高临下,随时准备轰击来犯之敌。在修筑工事的同时,冯子材还设法与关外的中国和越南抗法义军取得了联系,获得了不少有价值的情报。

工事抢修完毕后,冯子材进行了周密的军事部署。他对各位参战将领说:"行军打仗,贵在稳健,不能给敌人留下任何可乘之机;克敌制胜,贵在主将不辞艰险,自担重任。现在形势危急,正是各位建功立业的时候。我虽已年老,但仍愿冲锋在前,为大家蹚出一条道路。"众将领听了,都感动得涕泪横流,纷纷表示一定血战到底。随后,冯子材亲自率军守卫长墙和山岭险要位置,担当中路的作战任务。他命令王孝祺、苏元春、王德榜等将领分别率军驻守山口周围各处,交战时相互接应。众将领见冯子材部署周密,又主动担当最艰险的作战任务,都深受鼓舞,迅速带兵进入了阵地。法军探听到冯子材在关前隘做了充分的军事准备，就想绕过关前隘，偷袭镇南关以西一百三十里的艽（jiāo）封，然后从后面包围冯子材的部队。冯子材早已料到敌人会用这一招，派出一支队伍火速前去阻击，使法军的阴谋没能得逞（chěng）。

1885年3月23日，法军统帅尼格里在文渊城集结了大约一万名士兵，乘天降大雾向关前隘扑来。法军兵分两路，一路进攻东岭炮台，一路直奔长墙。他们凭借精良的武器，在开花大炮的掩护下攻占了东岭炮台，然后用大炮轰塌了关前隘的长墙。中午时分，尼格里下令发起总攻，成千上万的法军端着刺刀冲了过来。

冯子材冒着炮火在前线督战，大声喊道："如果让法寇入关，我们有何面目去见两广父老！"战士们在爱国热情的鼓舞下，个个奋不顾身，拼命厮杀，誓与关前隘共存亡。一时间，炮声震荡山谷，枪弹有如雨下，双方打得异常激烈。

驻守关东的将领王德榜听到隆隆炮声后，按照冯子材事先的部署，率兵前去围攻文渊城，截断了法军的退路。驻守文渊城的敌军几次派出武装运输队给关前隘的法军运送粮食弹药，都被王德榜的军队击退了。前线的法军见补给线被掐断了，不由得慌乱起来。尼格里暴跳如雷，指挥法军发动了更加猛烈的进攻。他们集中所有的开花大炮开路，全力扑向长墙。一场肉搏战就要开始了。

形势越来越危急，双方不管是谁，只要一松气，马上就会被打败。这时，冯子材大喝一声："今日一战，有进无退！"喊完便手持长矛冲出墙外，奋不顾身地杀向了敌群。他的两个儿子紧紧地跟在他后面，奋勇杀敌。士兵们见白发苍苍的主将冲在前头，士气大振，立即打开栅门，以排山倒海之势冲向敌人。将士们刀劈枪挑，跟侵略者展开了血战。法军受此冲击，阵势大

乱,很快就失去了战斗力,全线溃败。占据东岭炮台的法军不甘心失败,妄图固守顽抗。冯子材指挥部队猛攻,先后发动了七次冲锋。将领陈嘉身中四枪,仍然不下火线,继续坚持战斗。不久,将领王孝祺率军绕到东岭后面,对法军发起夹击,终于夺回了东岭。东岭的法军败下阵来后,企图和从长墙那边溃败下来的同伙汇合,继续顽抗。

突然,法军阵后杀声大起。原来,边关附近的中国和越南百姓前来支援清军了。尼格里惊慌失措,急忙命令法军撤退。只见漫山遍野到处都是手持武器的人群,各个交通要道早已被堵死了。尼格里率领残兵败将拼命突围,好不容易才杀出一条血路,向文渊城逃去。冯子材决定不给敌人喘息的机会,人不解甲,马不下鞍,一路追击法军,接连攻克了文渊城、谅山、谷松等地。

在中越军民的打击下,法军被迫丢弃大炮等重武器,狼狈地向越南腹地逃去。至此，冯子材取得了辉煌的胜利。镇南关大捷使中越军民扬眉吐气，极大地鼓舞了中国人民和越南人民反抗外来侵略的信心和勇气。

智慧点灯

　　本则故事根据相关史料改编而成。镇南关大捷使整个西南战局发生了根本性的变化，中国反败为胜，取得了中法战争的主动权。

　　1885年3月30日，镇南关战役失败的消息传到法国本土，法国总理茹费理被迫引咎（jiù）辞职。这时的法国已无力再战。但是，腐败的清政府却提出求和，与法国签订了《天津条约》，把胜利果实拱手让与敌人。这一结局虽不尽如人意，但是老将冯子材在战场上表现出来的精忠报国的爱国精神却不会因此而打折扣，它散发着熠熠（yì）的光辉，永远值得我们青少年学习。

甲午黄海大战

19 世纪中期,日本在实行"明治维新"后国力逐渐强盛,开始走上了侵略扩张的道路。

1894 年,朝鲜爆发了东学党农民起义。清政府接受朝鲜统治者的邀请,派兵进入朝鲜,帮助镇压农民起义。日本也以此为由,派兵进入朝鲜。不久,中日两军在朝鲜境内爆发了军事冲突。这年 8 月,日本对清政府宣战,中日战争正式爆发。因 1894 年是农历甲午年,故史称"中日甲午战争"。

9 月中旬,中日陆军在平壤附近激战。清政府北洋舰队在提督丁汝昌的率领下,护送运输船到中朝边境,补给中国军队。护航任务完成后,舰队开始返航,驶入黄海海域。

9 月 17 日上午,北洋舰队"致远"号管带(即舰长)邓世昌正在舱里休息,忽然有人进来向他报告:"一队悬着美国国旗的军舰正全速向我们驶来。"美国军舰?邓世昌听到报告后感到很奇怪,心想:美国军舰怎么开到这儿来了?他马上飞奔到甲板上,用望远镜一看,果然见前面有一列军舰,旗杆上挂的是美国国旗。奇怪的是,这些美国军舰一不打旗语,二不鸣汽笛,竟然就这样横冲直撞地朝他们直冲而来。邓世昌马上下令，要求全舰官兵密切关注这队军舰的动向。

渐渐地，美国舰队离得更近了。负责观察的水手忽然大喊："邓大人，是日本军舰！"邓世昌定睛一看，只见那些军舰上的美国国旗眨眼间换成了日本的太阳旗。原来是日本军舰冒充美国军舰前来偷袭北洋舰队了。邓世昌正要下令迎战，就听"轰轰"几声巨响，日本军舰已率先开起火来。炮弹落在海面上，激起冲天的水柱。"致远"号随即向日本舰队开火，黄海大战开始了。

北洋舰队刚从朝鲜运兵回来，舰队呈松散的一字形排开。日本舰队则是有备而来，排成了最适宜海战的尖峰形。所以，战斗开始时，北洋舰队处于下风。日本军舰体积小，速度快，七拐八绕，竟躲过了炮弹，不知什么时候绕到了"致远"号后面。只听"轰"的一声，日军的炮弹击中了跟随"致远"号的"超勇"号。顿时，火光冲天，浓烟滚滚，"超勇"号迅速下沉，舰上的将士纷纷跳海逃生。北洋舰队的旗舰是"定远"号，提督丁汝昌在这艘船上指挥整个舰队战斗。战斗打响不久，一颗炮弹落在"定远"号附近，炮弹爆炸产生的巨大气浪将手持双筒望远镜正在观看海面战局的丁汝昌从二楼震落到了甲板上。丁汝昌手臂受了重伤，信旗被毁。但他却拒绝随从把自己抬入内舱，坚持坐在甲板上督站，以鼓舞士气。

尽管战争刚开始时北洋舰队的指挥不够通畅，阵势有些混乱，但是邓世昌仍然沉着果断地指挥"致远"号向敌人发起猛烈的攻击。不远处的"来远"号、"经远"号也积极配合，一次又一次地朝日舰发起冲锋。一颗颗炮弹带着仇恨的火焰飞了过去，一条条火龙在大海上飞舞，一团团烈焰在天空中燃烧。日本舰队在北洋舰队的奋勇抵抗下遭到重创，"比睿"号、"赤城"号、"西京丸"号受损严重，"赤城"号舰长坂元八太郎当场毙命。

海战进行至下午时，日本舰队的部分战舰绕到了北洋舰队的背后，对北洋舰队形成了夹击之势。北洋舰队腹背受敌，队形更加混乱了。日本联合舰队司令官伊东祐亨见"致远"号冲杀在最前面，给自己造成的威胁最大，便命令"吉野"号、"高千穗"号等战舰集中攻击"致远"号。邓世昌毫不畏惧，指挥全舰官兵沉着应对，奋力抵抗。"轰——"一颗炮弹落在"致远"号的甲板上，把舰体炸了个大洞，海水一个劲地往舱里涌。邓世昌正要下令把洞堵住时，又一颗炮弹朝"致远"号射来，击中了舰体的左侧，战舰开始倾斜。与此同时，一个炮手跑来报告说："邓大人，船上没有炮弹了……"

此时海战已经进入白热化阶段。日舰"吉野"号见"致远"号炮声越来越少，知道它缺乏弹药，便向它冲了过来，企图一举将"致远"号击沉。怎么办？全舰官兵的目光都集中在邓世昌脸上。邓世昌看了一眼伤痕累累的战舰，坚决地说："我辈从军卫国，早已置生死于度外，今日之事，唯有以死报国！"随即，他下令让"致远"号开足马力，朝"吉野"号高速撞去！

"吉野"号上的日本军官和士兵见浑身是火的"致远"号竟然不要命地迎面扑来,大惊失色,一面忙着掉转船头逃窜,一面大喊:"鱼雷!快放鱼雷!""致远"号紧紧咬住"吉野"号,一边灵活地躲避鱼雷,一边飞速朝它撞去。"哗——"又一枚鱼雷划开海浪朝"致远"号射来。"致远"号躲避不及,不幸被击中,包括邓世昌在内的全舰官兵二百五十多人壮烈殉(xùn)国。邓世昌落水后,他的爱犬游到了他的身边,咬住他的衣角要救他。但邓世昌誓与军舰共存亡,毅然按住爱犬,与它一同沉没于汹涌的波涛之中。

　　"致远"号沉没后,日舰将炮火集中到了"经远"号身上。"经远"号管带林永升曾留学国外,是一员有勇有谋的儒将。他以爱国主义精神激励将士英勇作战,直至全部壮烈殉国。

　　就在广大爱国官兵奋力拼杀之时,"济远"号管带方伯谦、"广甲"号管带吴敬荣却可耻地临阵脱逃了。"靖远"号、"来远"号则因中弹过多,退出了战斗。

　　"定远"号、"镇远"号两舰的厚甲抵住了日舰如雨的炮弹。两舰官兵在"致远"号、"经远"号将士牺牲精神的感染下,拼死与日军苦战。下午约三时半,"镇远"号的大炮两次击中了日本舰队的旗舰"松岛"号,致使"松岛"号发生大爆炸,燃起了大火,船体倾斜,死尸堆积,血流满船。见势不妙,"松岛"号挣扎着退出了战斗。

　　不久,北洋舰队"靖远"号、"来远"号抢修完毕,重新投入了战斗。日舰"赤城"号、"比睿"号、"西京丸"号被"定远"号、"镇远"号轰得不知去向,旗舰"松岛"号已经瘫痪,"吉野"号、"扶桑"号也受了重伤,不能再战。日本联合舰队司令官伊东祐亨见北洋舰队占了上风,便下令舰队于下午六时前撤出战斗。北洋舰队追击了一阵,也收队返回了旅顺港。历时五个多小时的黄海海战到此结束。

在这次海战中,北洋舰队损失了"致远"号、"经远"号、"超勇"号、"扬威"号、"广甲"号五艘战舰。日本舰队"松岛"号、"吉野"号、"比睿"号、"赤城"号、"西京丸"号五艘战舰受损严重,"西京丸"号、"赤城"号两舰战后不久即沉没了。中、日两方都可谓损失惨重。

智慧点灯

　　本则故事根据相关史料和电影《甲午风云》(1962年)改编而成。黄海之战是中日甲午战争中的一次重要战役,历时五个多小时,其规模之大,持续时间之长,为近代世界海战史上所罕见。北洋舰队在这次海战中遭受了巨大的损失,但也给予日本海军以沉重打击。海战结束后,光绪皇帝亲自撰写挽联"此日漫挥天下泪,有公足壮海军威",以悼念壮烈殉国的海军将领邓世昌。临阵脱逃的方伯谦则被斩首示众。

　　甲午海战中中国海军官兵们的大无畏的爱国精神以及那惊心动魄的激战场面,激励着一代又一代中国人去努力为祖国早日实现繁荣富强作出贡献。

革命党武昌首义

1911 年 6 月，清政府电令四川总督赵尔丰，将原先决定交由民办的川汉铁路强行收归"国有"，由朝廷借外债修筑铁路，而此前从各阶层人民手中筹集的资金概不退还。消息传开，引起了四川各界的愤怒。他们成立了"四川保路同志会"，罢市罢课，抗捐抗税，并组织了自己的武装来抵制清政府。这一事件史称"保路运动"。清政府急忙调湖北新军（指清政府在甲午海战之后编练的新式陆军）进入四川，妄图用武力镇压这一运动。

湖北新军被调入四川后，湖北顿时空虚。在武汉的革命团体认为这是一个好机会，便开始酝酿发动武装起义。湖北的中心城市武汉地处长江中游，被称为"九省通衢（qú）"，是当时革命力量最集中的地区之一。革命党人在这里做了长期深入的工作，在湖北新军中培养了大批骨干，当地群众也积极响应革命。因此，武汉地区具有发动起义的良好条件。此外，武汉地区还有两个秘密的革命团体，一个叫共进会，一个叫文学社，都和当时最大的革命团体同盟会保持着密切的联系。他们看到起义的时机已经成熟，便于 8 月份成立了湖北革命军总指挥部，推举文学社负责人蒋翊（yì）武为总司令，共进会负责人孙武为参谋长,负责组织起义。经过商议,湖北革命军总指挥部定于1911年(农历辛亥年)10月10日发动起义。

然而,就在革命党人积极筹备起义的时候,接连发生了两起意外事件,引起了湖广总督瑞澂(chéng)的注意。

第一件事是士兵孟华臣(共进会会员)等人因为不满营长的管制,和营长发生了冲突。当时由于营长蛮不讲理地重责了孟华臣,孟华臣等人按捺不住心中的怒火,就抢了军械,将营部砸烂了。直到部队赶来镇压,孟华臣等人才罢休。

第二件事发生在10月9日上午。当时,一部分革命党人在参谋长孙武的带领下,在汉口俄租界配制炸药。不料炸药突然爆炸。孙武受伤,被送进了医院。巨大的爆炸声引来了俄国巡捕。他们把革命党人准备起义用的文件、旗帜和宣传品全部抄走,并逮捕了几个革命党人,一并交给了湖广总督瑞澂。瑞澂一看,惊出了一身冷汗,连忙采取紧急措施。很快,武汉全城戒严,军警四出,按照花名册搜捕革命党人。湖北新军中的革命党人有不少被抓起来杀害了。

在这样危急的形势下,革命党人除了提前发动起义外已别无选择。蒋翊武召集参与谋划起义的革命党人刘复基、彭楚藩等人召开了紧急会议,决定9日午夜零时以湖北新军驻南湖的炮队鸣炮为号,城内外同时起义。

不幸的是,由于武昌城内戒备森严,蒋翊武的命令没能及时送到驻南湖的革命党人手中。午夜12点到了,大家仰望星空,但却没有等到期待已久的炮声。就在大家焦急等待的时候,军警们已经搜查到革命党人的指挥部来了,蒋翊武侥幸逃脱,刘复基、彭楚藩等人被抓。10月10日白天,军警大肆搜捕新军中的革命党人,并下令新军官兵一律不得出营。

当天晚上7点左右,在驻守武昌城内黄土坡的工程营中,班长金兆龙在

兵营里擦枪时,被排长陶启胜撞见了。陶启胜大声质问道:"你想干什么?"金兆龙回答:"以防不测!"陶启胜厉声喝道:"我看你是想造反吧!"金兆龙大喝一声:"造反就造反,你能把我怎样!"说着就要扭住陶启胜。陶启胜转身往门外跑,金兆龙抬手就给了他一枪。全营的革命党人听到枪声,纷纷大喊:"反吧!"大家立即都行动了起来。一时间,枪声大作,揭开了武昌起义的序幕。

　　起义发动之后,共进会总代表熊秉坤等率众直奔楚望台军械局。把守军械局的工程营士兵纷纷加入起义队伍,使起义军的战斗力和信心都大大增强。驻守军械局的工程营左队队官吴兆麟因曾经参加过革命团体,而被推为临时总指挥。这时,起义人数已多达3000人,有些士兵甚至是赤手空拳赶来的。各营新军中的革命党人听到枪炮声和工程营起义的消息后,也都纷纷加入,使起义军的声势更加壮大了。

　　晚上 10 点半,起义军兵分三路进攻湖北总督署和旁边的陆军第八镇司令部。一部分士兵占领了武汉蛇山,向总督署开炮射击。当夜在总督署驻守的兵力大约有 3000 人,瑞澂利用这股精锐力量,拼死顽抗。为了一举捣毁总督署,起义队伍向总督署发动了数次强攻。枪林弹雨之下,战况十分激烈。起初,起义军由于相互间协调不够默契,再加上兵力薄弱,进攻屡次受挫。晚上 12 点后,起义军调整了策略,兵分三路,再次向总督署发起猛攻。在炮队的强力支援下,起义军终于突破了敌人的防线,并随之攻破了总督署的大门。瑞澂吓得魂飞魄散,忙叫人凿开总督署的围墙,拖家带口地逃往汉口去了。驻守总督署的清军见总督大人逃跑了,也都弃械四散奔逃。这时天已大亮。

　　经过一夜的战斗,到 11 日上午,武昌全城光复。在武昌城的蛇山之巅,革命党人树起了反抗清王朝的大旗。这时候,革命党人的领袖孙中山远在国外,另一领袖黄兴则在香港,而当时策划起义的共进会和文学社的领导人大都已牺牲了,因此,该由谁出面做军政府的都督,起义军中存有争议。大部分人认为应该请一个有"声望"的人出任这一要职,有人便提议去请原清军协统(旅长)黎元洪出山。

　　当时黎元洪并不想参加革命。当起义军找上门去时,他忙不迭地躲到了床底下。当得知起义军有意让他当军政府都督的时候,他又惊又怕,连喊:"莫害我! 莫害我!"死活不肯在安民告示上签字。革命士兵一怒之下,按住他的手逼他在告示上签上了大名。

　　武昌起义胜利的消息很快传遍了全国。受此鼓舞,湖南、陕西、山西、江西等十几个省份先后发动起义,成立军政府,宣布独立。清王朝的统治迅速土崩瓦解。1912 年 1 月 1 日,中华民国临时政府在南京成立,孙中山被推举为临时大总统。同年 2 月 12 日,清帝溥(pǔ)仪宣布退位,清朝灭亡。

智慧点灯

　　本则故事根据相关史料及大型文献纪录片《辛亥革命，历史选择了武汉》改编而成。武昌起义敲响了清王朝封建统治的丧钟，吹响了共和国诞生的号角，并在全国燃起了燎原烈火，沉重打击了清政府，致使清帝在 1912 年 2 月被迫退位，结束了中国两千多年来的君主专制统治。从这个意义上来说，武昌起义是中国走向民主共和的开端，在中国历史上具有里程碑式的意义。

　　新中国成立后，为了纪念这一伟大的胜利，党和政府在武汉设立了辛亥革命武昌起义纪念馆。

出奇谋四渡赤水

1934年，第五次反"围剿"失利后，中央红军被迫退出苦心经营的苏区，开始了战略大转移——长征。

长征开始后，国民党反动派很快判明了中央红军进行战略转移的意图，急调40万大军围追堵截，妄图一举消灭之。但是，中共"左"倾领导者不顾红军面临的危险，执意要按原计划北出湘西，与红二、六军团会合。在这万分危急的关头，已遭排挤的毛泽东同志又一次站出来向中央陈述利害。他主张放弃中央红军与红二、六军团会合的计划，改向敌人力量薄弱的贵州地区前进，争取主动，待机歼敌。这一主张得到了绝大部分同志的赞同。按照毛泽东的计划，红军在12月占领湖南西南边界的通道后，立即改道向贵州前进，并攻克黎平。此时，顽固不化的博古等人仍主张北上与红二、六军团会合。中央政治局在黎平召开了会议，肯定了毛泽东提出的战略方向，决定创立以遵义为中心的川黔（qián）边革命根据地。

1935年1月，红军打败贵州军阀的四个团，强渡乌江天险，占领了遵义。随后，中央政治局召开了具有重大历史意义的遵义会议。

遵义会议在军事问题上否定了王明的"左"倾冒险主义,肯定了毛泽东关于红军作战的基本原则,明确了党和红军的新任务。在这次会议上,增选毛泽东为中央政治局常委,取消了犯有"左"倾错误的领导人的最高军事指挥权,仍由中央军委主要负责人周恩来、朱德负责军事工作。不久,中央又决定由毛泽东、周恩来、王稼祥组成三人指挥小组,负责军事指挥工作。这就确立了以毛泽东为核心的党中央的正确领导。

　　遵义会议后,红军仍面临着严峻的形势。如何摆脱几十万敌军的围追堵截,依然是红军最主要的任务。为了改变被动局面,中央军委和毛泽东决定进军四川西部或西北部创建新的根据地。这之后,中央红军在云、贵、川地区进行了一次大规模的运动战,这就是著名的"四渡赤水"之战。

　　1935 年 1 月中旬,红军总司令部制订了渡江作战的计划:中央红军由黔北地区经过川南,渡江后协同红四方面军在四川西北实行总反攻,争取在四川省泸州上游各渡口渡过长江。而此时,蒋介石似乎已了解到中央红军欲渡江与红四方面军会合的意图,派出 18 个师的兵力全力阻击中央红军,妄图凭借北面的长江天堑(qiàn)和南面的乌江天险,将中央红军一举消灭于黔北、川南的莽莽山区。一场斗智斗勇的战争开始了。

　　1 月 19 日凌晨,毛泽东、周恩来、朱德等人率领整编补充后的三万红军将士挥师北进,向赤水河地区转移。队伍分成三路,分头向西北方向的土城前进,准备于泸州上游的大渡口、江安一线北渡长江。27 日,毛泽东到达土城,左、中、右三路红军已占领赤水河东岸土城一带。这时,四川军阀刘湘的水、陆、空军也已集结于长江沿岸,企图阻止红军北渡。得知红军在赤水河东岸后,刘湘又加派重兵先行开赴赤水,与红军形成了对峙的局面。

　　中央军委感到情况非常危急。经侦察,川军当时尚只到达了两个旅 4 个团的兵力。毛泽东当机立断,决定立即集中第三、第五两个军团消灭先期到达的川军。战斗中,红军发现先前获得的情报并不可靠,面前的川军实不止4个团,火力非常猛,继续这样打下去会对我军非常不利。毛泽东审时度势,决定赶在川军援兵到达土城以前撤出战斗,并火速在土城一带抢渡赤水河,寻求主动。为此,他指挥红军在赤水河上架起浮桥,命令部队丢弃不必要的随军物品,准备抢渡。29日黎明,数万红军分三路一渡赤水,向川南古蔺(lìn)、叙永地区进发。

蒋介石增派了"围剿"的部队,由龙云、薛岳指挥4个纵队,企图在长江以南、叙永以西、横江以东地区全歼中央红军。这样,中央红军原来北渡长江的计划由于敌我形势变化不得不取消。毛泽东根据新的形势提出了中央红军下一步的行动计划:立即甩掉四川追敌,向云南扎西集中,并争取由黔西向东发展。2月15日,红军大部队到达古蔺的一个小村——白沙。在这里,中央军委决定再次东渡赤水河。在毛泽东的指挥下,红军在往西追击的敌军大队人马中巧妙穿插,向东急进,直奔赤水河西岸。2月18日下午,红军占领了赤水河西岸的太平渡渡口,并于2月21日前从太平渡、二郎滩两处第二次从容地渡过了赤水河,火速向桐梓(zǐ)奔袭。

蒋介石又慢了一步。直到红军渡过赤水河后,他才发觉红军的去向,不禁恼羞成怒。他命令川军三个旅立即由扎西东追,命令贵州省主席、二十五军军长王家烈派重兵截击红军,防止红军与红二、六军团会合。

中央红军行动神速,红一军团抢先攻占了桐梓县城。不久,在娄山关北麓的红花园,红军击败了前来拦截的敌人。敌人退守到娄山关一带高地,妄图依仗险要地形阻止红军前进。红三军团奉命夺取娄山关天险。他们用一个团进行正面攻击、两个团分别左右迂回的战法,向娄山关发起强攻。经过激烈的战斗,娄山关守敌被迫向板桥方向退却。红军大队乘胜沿着崎岖小道通过了大娄山上"万峰插天、中通一线"的雄关隘(ài)口。

随后，中央红军乘胜追击，攻下了遵义新城。为挽回战局，国民党军吴奇伟部和王家烈部分两路急奔遵义。在老鸦山，他们遭到了红军的猛烈阻击。吴奇伟不惜一切代价地向红军发动了一次又一次的猛攻。面对强敌，红军顽强抵抗，坚守阵地，将敌人死死地钉在阵地前面。黄昏前，红军在老鸦山主阵地发起全线反击。经过一个多小时的激战，敌军全面溃退，其主力被红军歼灭在遵义城外，残部则向乌江溃退。为了逃命，吴奇伟和王家烈顾不上蒋介石不准撤过乌江的命令，狼狈地逃过了乌江。这一战史称"遵义战役"。遵义战役历时5天，红军共击溃和歼灭敌军两个师8个团，俘虏敌军约3000人。这是中央红军开始长征以来取得的最大的一次胜利，沉重打击了敌人的嚣张气焰。

此时，中央红军北有强悍的川军堵截，南有蒋介石嫡（dí）系薛岳的部队紧逼，又有乌江天险横在面前，而东面的湘军虎视眈眈，也回去不得，唯一的出路只有向西突破。毛泽东当机立断，在敌军合围遵义以前，带部队撤出遵义，向鸭溪方向挺进。3月4日，中央红军在鸭溪成立了前敌指挥部。敌我形势日益严峻，当红军主力集结在鸭溪地区寻求战机时，遵义被敌人袭占，致使部队失去了后方。红军计划在遵义西面站住脚跟，以便在云、贵、川三省实施战略转移，建立苏维埃根据地。但是，这时红军的优势已渐渐转小，在毛泽东的提议下，中央军委命令部队马上撤出战斗，迅速再次西渡赤水，甩开追兵。这样，中央红军于3月16日在茅台镇第三次渡过赤水河，向古蔺、叙永方向进发。

红军再次进入川南后，蒋介石判断红军此举还是要北渡长江，并认为"剿匪"成败在此一举，遂急调参与"围剿"的所有部队向川南进击，想要在赤水河以西的古蔺、叙永地区与红军决战。蒋介石的这个计划正中毛泽东下怀。此次西渡，毛泽东就是要作出渡江北上的姿态，以引诱敌人过河，然后根据敌情再作计议。现在见蒋介石如此"配合"，毛泽东决定抓住这个机会，赶快第四次东渡赤水，把敌人抛在赤水河西岸。

3月20日，中央军委向红军各部下达了四渡赤水的行动部署，命令各部秘密而又迅速地折西向东。3月21日晚，就在敌人的调动部署即将完成之际，红军突然调转行进方向，经二郎滩、九溪口、太平渡，第四次成功渡过了赤水河。

第四次渡过赤水后，中央红军终于跳出了蒋介石挖空心思布下的包围圈，如同一只挣脱绳索的雄狮，纵横驰骋于西南各地，最终北上陕西，与各路红军胜利实现大会师，到达了抗日战争的最前线。

智 慧 点 灯

本则故事根据《红军史》等相关书籍，并参考电视连续剧《长征》改编而成。四渡赤水战役历时三个多月。毛泽东等中共中央领导人根据形势的变化，指挥中央红军巧妙地穿插于国民党军各集团之间，灵活地变换行进方向，调动和迷惑敌人，创造战机，在运动中歼灭了大量国民党军，牢牢地掌握了战场的主动权。

四渡赤水粉碎了敌人妄图围歼中央红军于川、黔、滇边境的计划，使中央红军在长征的危急关头从被动走向主动，从失败走向胜利。它是中国工农红军战争史上以少胜多、变被动为主动的光辉战例。

平型关大捷

1937 年 7 月 7 日夜,日本侵略军以军事演习为名,在北平(今北京)西南的卢沟桥附近突然向中国当地驻军国民革命军第二十九军发动进攻。中国军队奋起抗击,抗日战争全面爆发。

抗日战争爆发后,尽管中国军队全力抵御,但由于敌人有备而来,而且装备非常精良,致使我北平、天津等重要城市以及整个华北地区相继沦陷。日本侵略军极其嚣张,扬言"三个月之内灭亡中国"。在民族危亡的关键时刻,国共两党达成合作,共同抗击日本帝国主义的侵略。根据双方协议,在西北的红军主力改称国民革命军第八路军(后又改称第十八集团军),从陕甘宁抗日根据地出发,东渡黄河,开赴抗日战争的最前线。

1937 年 8 月,日本华北方面军第五师团气势汹汹地扑向山西,目标直指太原。第五师团是日军的常备主力师团之一,早在 1888 年就成立了。这支部队的机械化程度非常高,被日军奉为"钢军"。为了保卫太原,国民政府军事委员会急调十多万部队,由卫立煌任前敌总指挥,在太原城周围布防,抵挡日军。

不久,根据中共中央的指示,周恩来、彭德怀来到山西,和国民政府第二战区司令长官阎锡山进行了会谈。阎锡山在会谈中说,国民党军队接连遭遇失败,士气受到了极大的打击。周恩来详细分析了当前形势,指出目前虽然敌强我弱,但只要全民动员,团结奋斗,就一定能打败敌人。阎锡山要求周恩来协助他制订作战计划。周恩来洞察时局,只用一天的时间就帮他拟定好了。阎锡山看了感佩不已,赞叹道:"你写得这样快、这样好,如能这样打,中国必胜!"为了尽快奔赴抗日战场,八路军提出了自己的作战方案:调遣八路军115师隐蔽集结于平型关附近,从敌侧后方夹击进攻平型关的日军。阎锡山觉得这是个好主意,当即表示同意。

平型关位于今山西省繁峙(zhì)、灵丘两市的交界处,是进出山西的一条重要关隘(ài),地理位置十分重要。1937年9月下旬,八路军115师一万多名战士在师长林彪、副师长聂荣臻(zhēn)的率领下,到达了繁峙、灵丘一带。共产党的队伍开赴前线的消息传来,当地老百姓无不欢欣鼓舞。部队到达的当天,就有不少年轻人踊跃报名参军,一些从北平、天津等地流亡来的青年学生也辗转前来投奔。与此同时,日军第五师团21旅团的一部开了过来,占领了灵丘县城。

大战迫在眉睫,八路军115师指挥部里,电话铃响个不停,指挥员们伏在军用地图旁,忙着研究作战方案。聂荣臻副师长指着地图说:"根据可靠情报,日军第五师团21旅团将在25日经过平型关向南进犯。"林彪师长点了点头,说:"平型关是长城线上的一个重要关口,也是太原北面的重要屏障。这次敌人志在必得,我们可以抓住战机,打一个伏击战。"

在通往平型关的道路上有一段长约13公里的狭长地带,沟深道窄,非常险要,两侧都是高地,杂草丛生,便于部队隐蔽。115师的领导同志曾几次勘查平型关的地形,认为在敌强我弱的情况下,集中精力打一个伏击战无

疑是最好的选择。聂荣臻非常赞同林彪的意见，握紧拳头说："对，这里是伏击歼敌的理想战场。日军不可一世，咱们就出其不意地狠揍它一顿，让它尝尝我共产党军队的厉害！"

9月25日凌晨，林彪、聂荣臻率领部队出发，向指定地区急行军。战士们顶着凄风冷雨，在拂晓前赶到了战斗位置。林彪、聂荣臻把全师主力部队布置在平型关到东河南镇十余里长的公路两侧的山地边缘上，让一个团埋伏在左侧，一个团埋伏在右侧，形成一个大大的"口袋"，"口袋"底部是115师344旅，另有一个团负责打击增援的敌军，一个团做预备队。这一部署将会使进攻平型关的敌人完全处于伏击圈之内。秋雨下个不停，寒气袭人，参战将士们的军装都湿透了，但心头却燃烧着复仇的烈火。

25日拂晓时分，雨住风停，山谷那头传来了隆隆的汽车马达声。我军指挥员举起望远镜，只见运载日军的车队像一条毒蛇一样爬了过来。雨后的山间公路泥泞难行，卡车上的鬼子有的抱着枪耷拉着脑袋打瞌睡，有的叽哩哇啦地说着话，有的抽着烟发呆，丝毫没有意识到死亡之剑已经高悬在他们头顶。

清晨5点半左右，日军的第一辆汽车进入115师的伏击圈。聂荣臻副师长传令："全体战士要沉住气，没有命令不许开火！"时间一分一秒地过去了，日军一千余人以及汽车、马车300余辆陆续进入了伏击圈。突然，随着两颗信号弹升向天空，"哒哒哒——"埋伏在山头上的八路军从山谷两侧全线开火，轻重武器喷出了耀眼的火焰。一个连长率领全连战士迅速绕到敌人后侧，用手榴弹炸毁了敌人走在最后面的一辆汽车，堵住了敌人的退路。

子弹、手榴弹雨点般地向日军车队飞去。有的鬼子还没有从梦中醒来，就在手榴弹的爆炸声中上了西天。日军被这突如其来的袭击打蒙了，过了好一会儿才回过神来。散落在各处的日本兵在指挥官的指挥下，迅速集结

起来,哇哇叫着,开始了疯狂反扑。这股日军毕竟是精锐部队,打起仗来特别凶残。

　　"滴滴答滴——"嘹亮的军号声响了起来。"同志们,冲啊!"115师的战士们向敌人发起了冲锋。只见平型关两侧的山岭中一下子冒出了上千名八路军战士。他们有的端着刺刀,有的挥舞着大刀,如猛虎下山般冲下去,与敌人展开了激烈的肉搏战。顿时,枪声、呐喊声和刺刀、军刀的碰撞声响彻山谷。战斗进行了几个小时,日军虽然伤亡惨重,但仍利用车辆做掩护,负隅顽抗。后来,一部分敌人企图抢占公路西侧的老爷庙高地,掩护日军突围。发现敌人的这一企图后,我军686团的一个营以迅雷不及掩耳之势,抢先占领了老爷庙。日军疯狂地向老爷庙高地发起进攻。八路军将士们誓死不退,打退了敌人一次又一次的进攻,守住了高地,与公路东侧的部队形成夹击的态势,将敌人死死地压在了山谷之中。

日军第五师团师团长坂垣征四郎听到21旅团被伏击的消息后,又惊又怕,如坐针毡。为了解救21旅团,他急令驻扎在河北蔚县、涞(lái)源的日军火速向平型关增援,并派出飞机掩护。然而,敌人这一着早就被林彪、聂荣臻料到了。增援之敌刚刚到达灵丘以北、以东地区,就遭到了我军的伏击,死伤惨重。这些日军见八路军早有准备,也顾不得为他们的同伙收尸了,吓得匆忙撤退到几十里以外的地方,再也不敢轻举妄动了。

中午时分,被堵截在山谷中的一千多名日军被我军全部消灭,平型关伏击战胜利结束。在这次战斗中,我军共击毁日军汽车100多辆、马车200多辆,缴获步枪1000余支,以及大量军用物资。捷报传开,震惊中外,极大地鼓舞了全国军民打击日本侵略者的信心和勇气。

智 慧 点 灯

平型关大捷是抗日战争中八路军首次对日本侵略军进行的一次成功的伏击战,被毛泽东称为我军抗战以来取得的"第一个胜利"。同时,这一胜利也是全国抗战以来的取得的第一个胜利。它彻底粉碎了日本侵略者所谓的"皇军无敌"的神话。

平型关大捷摧毁了日军直取太原的军事计划,支援了国民党军队正在准备的忻(xīn)口会战,大大地鼓舞了全国军民。

血战台儿庄

　　1938 年 2 月,抗日战争进入第二个年头。日本侵略军为了打通津浦铁路,使南北战场连成一片,先后调集八个师团、三个旅、两个支队约 24 万人,分别由华中派遣军司令官畑(tián)俊六和华北方面军司令官寺内寿一指挥,计划攻占华东战略要地徐州。为此,日军坂垣师团沿胶济铁路西进,直扑临沂,妄图攻下临沂,在台儿庄地区与矶谷师团会合,然后会攻徐州。由于日军此前接连占领了南京、济南等大城市,所以非常骄横,从上到下都认为这一战将会如探囊取物,手到擒来。

　　台儿庄位于徐州东北约 60 公里的地方,是一个有一千多户人家的城镇。津浦铁路支线从台儿庄直穿而过,在这里设有一个小小的火车站。和大中城市相比,台儿庄一点儿也不起眼,但在军事家眼里,它却是一个非常重要的战略要地。因为它是徐州北面的门户,只要夺取了台儿庄,徐州便唾(tuò)手可得了。

　　为了守住台儿庄这个重要据点,国民政府第五战区司令长官李宗仁亲自坐镇徐州,同徐州周围的各路军队共商抗敌大计。当时,由于日军大兵压

境,徐州城内市面萧条,人心惶惶。为了安定人心,李宗仁每天清晨和午后都会骑马到城内主要街道上巡视一番。看到最高长官这么从容,徐州百姓和驻军都安定了下来。李宗仁深刻地认识到了台儿庄战略位置的重要性,遂决定把第二集团军(总司令为孙连仲)调至台儿庄附近布防。

很快,第二集团军第 31 师在台儿庄南部布防,作为主力守军;第 30 师和第 27 师分别部署在台儿庄外的左右两翼,形同两把刺刀指向敌人。在李宗仁的调度下,第二十二集团军也到台儿庄外围集结,担负防守重任。两个集团军共十多万人马,在台儿庄地区严阵以待,准备迎击日军。

1938 年 3 月 24 日破晓,日军矶谷师团一个联队约 2000 多人,突破我军的警戒线,向台儿庄守军发起了进攻。十几架日军飞机飞临台儿庄上空,对台儿庄及附近的中国军队阵地狂轰滥炸。顷刻之间,台儿庄就被炮火和硝烟吞没了。中国军队虽然一无飞机,二无坦克,枪炮等武器也比较陈旧,但并不畏惧,而是抱定“人在阵地在”的信念,誓死抵抗日军。

日军凭借坦克、飞机和强有力的炮火支援,不断地向台儿庄发起猛攻。第二集团军顽强抗击,与日军展开了激烈的争夺战。“轰隆隆——”日军的五六辆坦克自恃(shì)无人能敌,突破中国军队的战壕,试图向台儿庄内驶去,后面黑压压地跟着几百个鬼子。中国守军没有反坦克武器,只好用机枪朝坦克猛烈扫射。然而,坦克上的装甲太厚了,机枪子弹射在坦克身上,“叮叮当当”全都被弹了出去。一名战士急了,捆了一束手榴弹,在战友的掩护下,滚到了一辆坦克跟前,把手榴弹填在了坦克的履带下。只听“轰”的一声巨响,敌人的坦克顿时燃起了大火,再也不能动弹了。而那名战士也光荣牺牲了。中国守军打红了眼,战士们都觉得此时此刻只有和日军同归于尽,才能使自己那颗被仇恨煎熬着的心得到解脱。

随着时间的流逝,前来增援的日军越来越多,攻势也越来越猛,一部分日军已经攻入台儿庄内。中国将士凭借台儿庄内复杂的地形,和日军展开了巷战。此时此刻,这里的每一道寨墙、每一所房屋都成了一座坚固的堡垒。战士们冒着猛烈的炮火,用刺刀、大刀片,甚至拳头和牙齿,与突入阵地的敌人逐屋展开拼杀,直到流尽最后一滴血。在中国守军的拼死抵抗下,号称皇军精锐的矶谷师团用了三天三夜才占领了台儿庄全庄的三分之二。敌人觉得"胜利在望"了,疯狂地增兵,想要一举全部占领台儿庄。但是,台儿庄内还有一部分中国守军誓死不退,坚守着阵地。他们的作战目标是咬住敌人,争取时间,让外线的友军部队完成对日军的反包围。这其实是李宗仁早就制订好的作战计划:以部分兵力死守台儿庄,尽量拖住敌人;庄外的大军迅速筑起防线,将侵入庄内的日寇团团包围,来个"瓮中捉鳖"。

3 月 28 日,日军攻入台儿庄西北角,妄图夺取西门,从而切断中国守军 31 师师部与台儿庄内的联系。31 师师长是抗日名将池峰城。为了便于指

挥,他把司令部设在台儿庄南的火车站大楼上。日军获知这一情报后,调集所有的迫击炮拼命朝 31 师司令部轰击。只听"砰砰砰"几声闷响,好几发炮弹落在了火车站附近。顿时烟火四起,墙倒屋塌,31 师司令部"呼啦"一下塌了一大半。池峰城把司令部转移到了火车站以南的一座铁道桥下,继续指挥战斗。眼看着敌人杀了上来,池峰城组织了数十名敢死队员,手持大刀片,横削竖劈,把摸上来的鬼子赶了出去。街巷里血流成河,到处都是士兵们的尸体。战斗进行到此时,形势对中国军队极为不利,作为主力守军的 31 师伤亡已近 70%。眼见阵地越来越小,部队的伤亡越来越大,池峰城师长悲愤至极,无奈地拿起电话向第二集团军总司令孙连仲求救。

此时的孙连仲手中已经没有预备队了,他在电话里大声对池峰城喊道:"池师长,胜负在此一役! 如果士兵打完了,你就自己上前填进去;你填过了,我接着往里填。有胆敢后退者,杀无赦(shè)!"孙连仲字字斩钉截铁,表达了血战到底的决心。池峰城和战士们虽然早已筋疲力尽,但都没有任何怨言,而是又抓起铁锹加固阵地,准备战斗到生命的最后一息。

4 月 4 日深夜,孙连仲打电话给李宗仁,汇报情况,请求指示。李宗仁经过一番深思熟虑后说:"我们在台儿庄已经血战一周了,胜负之数决定于最后五分钟。援军明天中午即到,我本人也将到台儿庄督战。你要命令各部,务必守至明天拂晓,并最好能组织一次大规模的夜袭。坚持就是胜利,待明天援军到后,我们就能对敌人实施内外夹攻了。这是我的命令,请你传达到每一个战士!"孙连仲放下电话,当即就把命令传达到了各部。

接到命令后,各参战部队把参谋人员、炊事员、担架员和一些轻伤员都动员起来,联合发动了一次大规模的夜袭。日军血战数日,早已精疲力竭了,无论如何也没有料到这时中国军队还能发起夜袭,顿时乱作一团,前几日才勉强占领的台儿庄各街道在一夜之间就被中国军队夺回了四分之三。

与此同时,前来增援的中国军队已向台儿庄以北迫近,即将对日军形成夹击包围之势。消息传开,战士们的斗志更加坚定了。

4月6日,李宗仁赶赴台儿庄,亲自指挥中国军队向矶谷师团发动了全线反击。伤亡惨重、疲惫不堪的日军早已失去了刚开始发动进攻时的威风。他们听到中国军队援兵已到的消息,个个如惊弓之鸟,慌忙向台儿庄以北突围。城外前来增援的中国军队早已在那里设下了埋伏,乘机穷追猛打,重创日军。日军的汽车、坦克大多数被击毁,剩下的也因为汽油耗尽而陷于瘫痪,被遗弃的武器、弹药、马匹遍地皆是。中国军队士气高昂,各部都向敌人猛追猛打,如疾风扫落叶般锐不可当。矶谷也顾不上大日本皇军的面子了,率残部拼命突围,把尸体全都遗弃在战场上之后才侥幸逃得性命。

台儿庄战役前后历经一个月有余,中国军队共歼敌一万余人,缴获大小战车40余辆,以及大量机枪、步枪、大炮,以取得阶段性的胜利而告终。

智慧点灯

本则故事根据相关史料,并参考电影《血战台儿庄》(1986年)改编而成。台儿庄战役是抗战以来国民党军队在正面战场上取得的最大的一次胜利,在国内外引起了极大的震动。

当时,台儿庄战役胜利的消息传出后,有的国家甚至不敢相信。路透社电讯说:"英国当局对中国津浦线之战局极为注意,最初中国军队获胜之消息传来,各方尚不十分相信,但现在证明日军溃败之讯确为事实。"这次胜利不仅使全国军心、民心为之大振,而且提高了中国在国际上的地位,为取得抗战的最后胜利作出了重要的贡献。

王牌师魂断孟良崮

抗日战争胜利后，以蒋介石为首的国民党反动派在美帝国主义的支持下，不顾全国人民求和平、谋发展的强烈要求，迫不及待地发动了内战，兵锋直指中国共产党。当时，陕甘宁边区和山东解放区是我党的两个战略地位比较重要、区域也比较大的解放区。蒋介石把进攻的重点放在这两个区域，企图先消灭这全国解放区的东西两翼，之后一举消灭中国共产党的军队。

1947年3月，蒋介石调集了24个整编师、60个旅，共约45万人马，由顾祝同任总司令，气势汹汹地向我山东根据地扑来。

负责山东等地区对敌斗争的是我华东野战军，司令员兼政治委员是陈毅，副司令员是粟裕。在他们的指挥下，我军灵活机动，忽打忽停，粉碎了敌人的数次进攻。后来，陈毅和粟裕决定来个"猛虎掏心"，实施"在百万军中取上将首级"的战略，狠狠地打击敌人的精锐部队、所谓的王牌师——整编74师，从而消灭敌人的有生力量，撕开敌人的包围圈。5月上旬，华东野战军主力向东转移，来到蒙阴、新泰、莱芜（都在今山东境内）一带隐蔽集结，寻找战机。

顾祝同生性好大喜功，见我军东撤，即命令各部"跟踪进剿"，并特命整编74师进军沂水（今山东沂水），进驻孟良崮（gù）一带，与我野战军交战。在这种情况下，两军拉开了孟良崮战役的帷幕。

整编74师原为国民党军第74军。该师下辖3个旅6个团，三万两千余人，装备全部是美式武器，拥有大量榴弹炮、山炮、战防炮、迫击炮、火箭筒、火焰喷射器等，战斗力相当强，号称国民党军"五大主力"之一，是蒋介石"钦定"的"典范部队"。该师师长名叫张灵甫，毕业于黄埔军校第四期，曾参加过抗日战争，并取得了不少胜利，因此深受蒋介石的青睐（lài）。张灵甫骄横异常，出发前曾口吐狂言："我要把陈毅赶进东海里喂鱼！"

我华东野战军根据搜集到的情报，迅速捕捉战机，调集了5个纵队10余万兵力对74师实施围攻。当时，与整编74师一起开赴山东战场的还有国民党83师（师长为李天霞）、25师（师长为黄百韬）。华东野战军以4个纵队分别从左、右隔开整编74师与国民党83师、25师的联系，再以一个纵队从后面堵住了74师的退路。

74师师长张灵甫并非等闲之辈，他很快就明白了解放军要围歼自己。在作战会议上，74师的参谋人员提醒张灵甫有被包围的危险，张灵甫却自恃（shì）勇猛，认为不足为虑。他觉得，凭借其74师三万两千人的雄厚兵力及丰富的作战经验，只要向左或向右"转进"，便可与83师或25师会合。更何况，"国军"三四十万大军就部署在周边100多公里的范围内，随时都会开过来。因此，他不但没有迅速撤离，反而决定"将计就计"：将部队拉上孟良崮山麓，主动让华东野战军来包围自己，以此让自己的74师做一个"钓饵"，引诱华东野战军"上钩"，从而与周边的国民党军一起来个反包围，实现中心开花，内外夹击，一举消灭华东野战军。

孟良崮位于山东省临沂市境内，属蒙山山系，主峰海拔500多米，面积

1.5 平方公里,战略地位十分重要。张灵甫将部队一拉上孟良崮,就开始紧急构筑工事,部署大炮,组建各种火力网,准备坚守孟良崮。蒋介石也认为这是消灭华东野战军的绝佳时机,连忙发电报给在孟良崮周围的 5 个师,让他们迅速从西北、西、南、东四个方向火速向 74 师靠拢。

陈毅、粟裕等华东野战军领导人全面分析了局势后,认为要想赢得这场战役,就必须出其不意地集结数倍于敌人的优势兵力,迅速"敲掉"整编 74 师这个"硬核桃",同时将国民党的援军挡在孟良崮之外。华东野战军的指战员们非常看不惯整编 74 师的嚣张表现,早就想狠狠地打击他们一下了,这次听说要打 74 师,不用动员,个个摩拳擦掌,纷纷请战,要求担负最危险、最艰巨的作战任务。

1947 年 5 月 13 日黄昏,华东野战军向孟良崮发起了全线攻击。一时间,枪炮声大作,野战军战士迎着敌人猛烈的炮火,奋勇向前冲锋。74 师毕竟是国民党的王牌部队,全力拼死顽抗。野战军战士每前进一步,都要付出极大的代价。陈毅、粟裕要求各级指挥员都到第一线督战,率领部队冲锋。华东野战军提出了"歼灭 74 师,活捉张灵甫!"的响亮口号。战士们在必胜信心的激励下,一次次地发起进攻,一点点地攻占敌人的阵地,一寸寸地拉紧了包围圈。

经过一天一夜的激战,华东野战军开始掌握战役的主动权,张灵甫的部队则一步步地往回缩。此时的张灵甫再也没有当初的狂妄劲了,一遍遍地致电蒋介石,要求支援。蒋介石听说自己的王牌部队和"得意门生"陷入重围,立即乘飞机从南京飞到徐州督战。他急令孟良崮附近的国民党军各部齐头并进,特别是离孟良崮较近的 83 师、25 师,拼死也要解张灵甫之围。

此时,华东野战军面临的形势也十分险恶。陈毅、粟裕认识到,要完全掌握战场主动权,关键在于迅速结束围歼整编 74 师的战斗,使国民党的各路援军失去救援的目标,同时要挡住增援之敌,为歼灭整编74师赢得时间。5月15日,华东野战军对孟良崮发起了总攻。发起攻击前,陈毅来到将士们面前,表情严肃地说:"同志们,蒋介石拼死和我们决战,想把我们反包围,形势十分严峻。成败在此一举,我们要不惜一切代价吃掉74师,拿下孟良崮。谁先攻上孟良崮,谁就是战斗英雄!"

这时,龟缩在孟良崮的整编74师处境已极其糟糕。他们的阵地越来越小,导致重型武器装备无法使用,饮水等补给也非常困难,更要命的是,兵员、马匹已完全暴露在我野战军的炮火之下。

经过15日一整天的生死激战,我华东野战军虽然攻下了孟良崮一旁的几个小山头,但张灵甫的主力尚在顽守主峰。战斗进行得异常惨烈,孟良崮的山顶上铺满了数以万计的尸体。

这时,国民党军25师在蒋介石的严令下,凭借先进的武器优势,已经将战线推到了黄崖山、狼虎山一线,妄图解救张灵甫。黄崖山距孟良崮仅6公里,是25师通往孟良崮的最后障碍。当时的情况是,谁占据了黄崖山,谁就把握了这次大战的主动权。华东野战军的一个团作为前锋部队,经过急行军,终于及时抢到了黄崖山主峰的东山脚下。这时,国民党军25师的一支先遣队也赶到了黄崖山主峰的西山脚下。两军二话不说,立即朝山顶猛爬。到底是野战军战士技高一筹,率先登上了主峰,抢占了制高点,一阵排枪将距山顶只有30多米的国民党部队扫了下去。这个团在山顶顶住了25师的进攻,使国民党军企图解救张灵甫的愿望彻底化成了泡影。

华东野战军的外围打援部队成功地阻击了敌人,为在孟良崮浴血奋战的野战军战士赢得了宝贵的时间。最后,战士们呐喊着冲上山顶,一直打到了张灵甫的指挥部。

张灵甫的指挥部设在山顶一处悬崖下的山洞里,前面用石头垒了几道

石墙以防流弹。几名战士扫清周围的敌人,朝山洞里大喊:"缴枪不杀,谁动打死谁!""哒哒哒——"山洞里的敌人朝外放枪了。战士们异常愤怒,端起冲锋枪就朝山洞里扫射。不一会儿,敌人在山洞里喊道:"别打……别打,我们投降!"随之一个个举着手走了出来。这几个野战军战士不知道,躲在山洞里的就是张灵甫和他的指挥部,而他们刚才的一通扫射已经把张灵甫打死了(一说张灵甫是在野战军战士进入山洞前自杀身亡的)。

孟良崮战役胜利结束了,国民党军整编第74师被全部歼灭。陈毅司令员喜不自禁,挥笔写下了气壮山河的诗篇:

孟良崮上鬼神号,七十四师无地逃。

信号飞飞星乱眼,照明处处火如潮。

刀丛扑去争山顶,血雨飘来湿战袍。

喜见贼师精锐尽,我军个个是英豪。

智慧点灯

本则故事根据相关史料,并参考电视连续剧《红日》改编而成,讲述了孟良崮战役的全过程。

孟良崮战役是解放战争期间发生的一次重大战役,它的胜利使国民党部队主力开始退却,我人民解放军在山东战场上获得了较大的战略主动权,并迅速转入战略反攻阶段,不久,就迎来了全国战场乾坤初定的三大战役。在孟良崮战役中,国民党军高级将领、蒋介石的"得意门生"张灵甫被我军战士击毙(一说自杀)。这极大地打击了国民党军的士气。

没有吹响的集结号

　　1948 年秋冬之际,我人民解放军发动了淮海战役,与国民党军队的争斗空前惨烈。

　　这年腊月初十,我解放军某纵队决定撤出阵地。三团团长刘大明交给九连连长谷子地一项重要的任务,那就是阻击敌人,尽量给主力部队的撤退争取时间。他严肃地对谷子地说:"老谷,任务非常艰巨,主力部队顺利撤退后,团部将吹响集结号作为你们撤退的号令。记住,如果集结号不吹响,你们连必须坚持到最后一刻,哪怕只剩下一个人!"谷子地啪地一个立正,举手向刘大明敬礼说:"放心吧团长,我保证不惜一切代价完成任务!"

　　大部队开始撤退后,谷子地与全连 47 个兄弟踏上了阻击战场。战场设在公路旁的一座废弃的大窑场里。在那里,谷子地和全连战士一起构筑了坚固的防御工事。因为长时间以来一直在战斗,谷子地的这个连不仅缺少人手,而且弹药装备也已不是很多。但是,全连将士都有一个共同的信念,那就是一定要掩护好主力部队的撤退,直到集结号吹响再撤出战斗。

　　九连的连队里有许多与谷子地同生共死的好兄弟:指导员王金存是个

知识分子,早先因为害怕上战场而被关了禁闭,后来在谷子地的鼓励下来到九连当了指导员;三排排长焦大鹏是谷子地的左右手,被战友称为"拼命三郎",打起仗来一点儿也不含糊;狙(jū)击手姜茂才使用一把从敌人那里缴获的美制自动步枪,可以说百发百中;机枪手吕宽沟是个憨厚的小伙子,最爱吃的东西是油饼;还有通信兵小张、炊事员老赵……也个个都是好汉子。有这些战友在身边,谷子地心里就有底了。

　　一天早晨,大家正在加固工事的时候,敌人的炮兵开始试探性轰击,把九连的阵地给掀了个底朝天。炮声停止后不久,黑压压的一大群国民党军士兵便冲了过来。他们手里拿的全部是美式卡宾枪,火力非常强大。谷子地等到他们距离阵地只有 100 米左右的时候才大喊一声:"打!"战斗正式开始了。

敌人为了夺取这个咽喉要地,动用了整整一个团的兵力,发动了轮番攻击。九连战士在谷子地的带领下,运用灵活多变的战术,死死地将敌人压制在前沿阵地。焦大鹏和几个战士负责发射一门野战炮,吕宽沟用机枪朝敌人猛烈扫射,姜茂才专门射击敌人的指挥官,通信兵小张、炊事员老赵等也都全部上阵。战况异常惨烈,敌人的攻击被一次次地粉碎了,但九连的伤亡也越来越大。谷子地的手表被敌人炸坏了,也不知道战斗进行了多长时间。姜茂才为了给谷子地找一块手表,冒险跑出了掩体,结果不幸被敌人打死在阵地上。

战斗进行了大约一天,九连指战员战死了三分之一,但阵地仍然牢牢控制在九连手中。看到一个个亲密的战友陆续倒在敌人的枪口下,谷子地心里非常难受。直到这时,大家还是没有听到团部吹起集结号。

敌人又发起了一次疯狂的进攻,这次连坦克也用上了。九连战士在缺少战斗武器的情况下,无比英勇地用自己的血肉之躯去与坦克搏斗。吕宽沟把汽油灌在瓶子里,制成了一个燃烧瓶,想用它来摧毁敌人的坦克。但是当他匍匐(pú fú)前进到坦克跟前时,不幸被敌人的机枪击中了,全身顿时烧成了一团大火。排长焦大鹏这时也已身受重伤。他临死之前对谷子地说:"连长……我好像听到号声了……你带着弟兄们撤吧,也给咱九连留下点儿根……"

谷子地觉得不能撤,因为他没有听到集结号声。战士中有人说听到号声了,有人说没有听到,一时间产生了分歧。谷子地问指导员王金存:"老王,你听到号声了吗?"王金存摇了摇头。谷子地坚定地说:"我也没有听到。现在,我们要继续战斗!"他将战友的尸体都拖进窑洞里,在洞口放上炸药,告诉王金存:"老王,你守着洞口,我带着剩下的弟兄接着打。记住,宁死也不当俘虏!"说罢,他带上剩余的战友,抱着手榴弹奔出了窑场,想要与敌人同归于尽。不一会儿,谷子地他们都倒在了硝烟中,敌人凶残地冲了过来。王金存见状,咬牙拉响了谷子地放在窑洞口的炸药包……

值得庆幸的是,谷子地没有死。他在战斗中受了重伤,昏迷了过去,后来被解放军误当成国民党军士兵给收容了。在后方的医院里他得知自己原来部队的番号已经取消了,他不仅难以证明自己的身份,甚至都无法为战死的 47 个弟兄请功。不久,谷子地参加了解放军的炮兵部队。他跟随部队南征北战,希望通过实际行动洗刷自己当年没有战死的耻辱,并为牺牲的战友找回应有的荣誉。在朝鲜战场上,谷子地为了解救营长赵二斗,被地雷炸成重伤,一条腿残废了,一只眼睛被炸瞎,只得回国。

回国之后,谷子地光荣退伍。但是他却没有留在家里安享生活,而是四处奔波,要给牺牲的 47 个兄弟正名。与谷子地一样执著地寻找当年九连战士下落的还有孙桂琴——指导员王金存的妻子。她坚信自己的丈夫是战死的,而不是在战场不明不白地失踪了,更不是像别人说的那样当了逃兵。谷子地在当年驻军的地方遇见了孙桂琴,两个人一起踏上了求证之旅。然而,当他们来到那个曾经发生过激烈战斗的大窑洞时,不禁傻了眼。原来,当年的大窑洞战场如今已被一家煤矿取代,他们要寻找烈士们的遗体的希望变得非常渺茫了。除了谷子地之外,再也没有人知道,甚至都没有人相信,就在这个窑场下面,躺着几十名壮烈牺牲的战士。

就在谷子地、孙桂琴几乎绝望的时候,谷子地一年前给上级写的申诉信有了回音。信中写道:

> 谷子地同志,你所反映的情况我们已经了解。原三团团长刘大明同志已经牺牲,现葬于八一烈士陵园,你可到那里了解一下相关情况。

在赵二斗的帮助下,谷子地找到了团长刘大明的墓地。而刘大明的警卫员恰好就是这个烈士陵园的园长。从警卫员的回忆中,谷子地得知了集

结号的真相。

原来，为了争取更多的时间，掩护主力部队撤退，刘大明团长根本就没有打算吹响集结号，也就是说，九连一开始就注定要全部牺牲。谷子地得知真相后十分震惊，发疯似的要砸碎团长的墓碑，好在被赵二斗他们死死地拉住了。慢慢地，谷子地平静了下来。他坐在团长的墓碑前，自言自语道："谁也不愿意看到自己的战友死去……但是是战争，就会有人牺牲……我知道团长在交给我这个任务的时候，心情是怎样的悲痛……"

至此，经过谷子地的努力，九连 47 个兄弟的名誉终于恢复了。谷子地完成了他最大的心愿。部队派出代表，与谷子地一起，为牺牲的 47 个战士建了一座纪念碑，并举办了一场隆重的授勋仪式，授予他们解放勋章。

几年之后，当地一个工程队在修路的过程中，在以前的大窑场遗址上挖出了 47 具英雄的遗骨。

智慧点灯

本则故事改编自冯小刚执导的电影《集结号》（2007 年），情节、人名略有改动。故事的上半部分讲述了九连死守承诺，为掩护大部队撤退而拼死战斗的故事，体现了血与火、生与死的较量；下半部分讲述了谷子地为了尊严与荣誉寻找 47 个战友的下落的故事，诉说的是真实与虚无、荣誉与臭名的对抗。

其实，每个人的心里都需要那样一把不会响的集结号。故事告诉我们：在波涛汹涌的海浪中，每一滴水珠都体现着自己的价值，个人的荣誉和尊严与集体的利益一样至高无上。

潜　伏

故事开始于抗日战争后期。

主人公叫余则成，是国民党军官学校培养出来的一名优秀军官，当时在国民政府军事委员会调查统计局（简称"军统"）总部情报处工作。那时候，有很多军政大员投靠了南京汪精卫的汉奸政府，与日本帝国主义相互勾结，给抗日救亡运动造成了极大的危害。1945年初，"军统"总部命令余则成和他的上级吕宗方潜入南京汪伪政府内部，去暗杀一个背叛国民政府的大汉奸——李海丰。

抵达南京后，余则成化名劳文池，顺利地打入汪伪政权"政保总署"电讯处，到了李海丰的身边工作。经过两个月的秘密调查，余则成摸清了李海丰的行踪，但尚没有轻举妄动。他想先跟上级吕宗方商议好具体的行动计划之后再采取行动。然而，就在他要与吕宗方接头的时候，吕宗方却被"军统"派到南京的特务枪杀了。更让余则成吃惊的是，枪杀吕宗方的特务被"政保总署"抓获后，指认吕宗方是共产党员，而且泄露了刺杀李海丰的行动计划。顿时，余则成陷入孤军奋战的境地，而且"政保总署"对他的身份也产生了怀

疑。在这种情况下,余则成孤注一掷,单枪匹马地除掉了李海丰。完成任务后撤退时,他被"政保总署"的特务包围了。经过一番激烈的枪战,余则成寡不敌众,眼看就要被汪伪特务活捉了。在这千钧一发的时刻,潜伏在南京的中共地下党员杀出来救了余则成一命。

余则成在"政保总署"潜伏的时候,曾无意中发现某国民党将领为谋取私利而向日军泄露新四军情报。这种卑劣行径使他彻底看清了国民党的丑恶面目。共产党救了余则成后,余则成见他们真心抗日,遂决定弃暗投明,加入中国共产党。党组织接受了余则成的入党要求,要求他潜伏在"军统"内部,为党组织提供情报。

余则成接受任务后,凭借刺杀汉奸李海丰的功劳回到国民党政府的陪都重庆,获得了"军统"总部的嘉奖,并被"军统"局长戴笠委以重任——赴"军统"天津站协助站长吴敬中工作。

余则成来到天津,拜见了吴敬中。吴敬中尽管老奸巨猾,但是见余则成深受戴笠的器重,而且又是自己在青浦特务训练班训练过的学生,就没有对他的身份产生怀疑。不过,吴敬中这只老狐狸还是比较谨慎,为了试探余则成是不是真心为"军统"工作,他让余则成把妻子带到天津来。

余则成明白吴敬中这样做的目的。在青浦特务训练班的时候,他在自己的履历表上填的是"已婚",吴敬中是想借此判断他提供的履历是真是假。现在,余则成面临着一个重大难题:到哪里去找一个太太呢?无奈之下,余则成只好主动联络天津的地下党接头人,向党组织汇报了自己目前面临的困难。

党组织经过慎重考虑,给余则成派来了一个"假太太"——大方朴实、泼辣爽直的女游击队长翠平,让他们做起了假夫妻。在余则成的耐心帮助下,翠平克服了不习惯国统区官太太的生活方式的困难,与吴敬中的太太打成一片,逐渐消除了吴敬中等人对余则成的怀疑。

　　1946 年 1 月，国共双方开始谈判。余则成发现共产党派到天津来的谈判人员中竟然有他以前的女朋友左蓝。左蓝得知余则成在天津站潜伏，也感到非常吃惊。两人不敢相认，只能默默地用目光互相祝福。余则成把"军统"在共产党代表身边布下的特务名单交给了左蓝，揭露了国民党"假谈判、真内战"的阴谋。但是，余则成与左蓝在一起的一幕被天津站的一个特务无意中看到了，这个特务连忙把这一情况报告给了吴敬中。

　　得到报告后，吴敬中一方面动用潜伏在延安的特务"佛龛（kān）"调查左蓝与余则成的关系，一方面暗中调查余则成的行踪。得知被吴敬中怀疑后，余则成沉着应对，主动向吴敬中交代说左蓝是他以前的女朋友，两人的接触仅限于感情方面，而且在分手后他们再也没有见过。这些信息恰恰与"佛龛"发回的信息基本相同，吴敬中由此打消了对余则成的怀疑。

　　那个潜伏在延安代号"佛龛"的国民党特务名叫李涯。不久，由于延安的反特工作越来越严密，李涯待不下去了，只好回到国统区。巧的是，他也被分配到了"军统"天津站工作。他提议让余则成利用与左蓝的情感关系策反左蓝，表面是测试余则成是否死心塌地地为"军统"工作，实际上是想趁机杀害左蓝。余则成无奈，只好当着李涯的面打电话约左蓝晚上在一家茶馆见面，同时用暗语让翠平快去拦截左蓝。然而，翠平去晚了一步，左蓝在去茶馆的途中被特务暗杀了。

　　余则成和翠平感到极其悲痛，更让人心碎的是，战友牺牲了，他们连放声痛哭也不能，因为特务就在隔壁监视着他们。第二天，他们强忍着心中的悲痛继续工作，好像什么事情也没有发生似的。

　　"军统"天津站内部矛盾重重。李涯采取种种卑鄙手段，把负责情报工作的陆桥山排挤走了，但自己也未能如愿升官。余则成很幸运地晋升为"军统"天津站副站长，为共产党拿到了更多的情报。后来，李涯发现了余则成的真实

身份。当李涯带人去抓与余则成秘密接触的中共地下党员时,这名机智的地下党员一把拖住他从楼上摔下,二人同归于尽。余则成因而没有暴露。

　　1947 年,我人民解放军发动了平津战役,天津解放的日子越来越近了。这时,国民党驻天津的城防司令钱斌要乘飞机去南京。他表面上是去向蒋介石口述天津的城防计划,实际上是借机逃离天津。钱斌是一个顽固的反共分子,手上沾满了革命者的鲜血。党组织指示余则成:不惜一切代价除掉钱斌。余则成接到任务后,感到十分棘手,因为钱斌非常谨慎,保卫措施极其严密。无奈之下,余则成准备牺牲自己,去刺杀钱斌。翠平提醒余则成可以在钱斌去南京途中除掉他,这样不但可以避免无谓的牺牲,还可以消除敌人对自己的怀疑。余则成经翠平提醒,想出了一个妙计。他了解到钱斌患有哮喘病,又爱喝红酒,于是就把能引发严重哮喘病的药物注射进两瓶高档红酒中,化装成国民党军官,在钱斌即将登机之时把它们送给了钱斌的副

官。结果,钱斌在飞机上喝了红酒后,引发了哮喘病,因为无药医治而死在了飞机上。

余则成和翠平长时间互相支持、共同战斗,彼此看对方的眼神里都有了几分爱意。他们都被对方的革命精神和意志所打动,深深地爱上了对方。在危机四伏的险恶环境里,他们走到了一起,成为真正的同心夫妻。

天津马上就要解放了,余则成准备和翠平离开天津,谁知这时吴敬中却突然通知他马上去机场,坐飞机到广州,然后转机到台湾去继续从事特务工作。怎么办?胜利的曙光就在眼前,是留下来迎接解放,还是继续潜伏在敌人内部,为党做更多的工作?余则成思考再三,决定去台湾,继续潜伏。为了党的工作,翠平也艰难地舍弃了个人感情,表示支持余则成的决定。在机场,两人依依不舍地分别了。

飞机起飞了,余则成知道,自己将会面临更大的考验,而翠平还在等待着他光荣归来……

智 慧 点 灯

本则故事改编自姜伟导演、编剧的电视连续剧《潜伏》,情节有改动,讲述的是我地下党员余则成、翠平潜伏在敌人内部,冒着生命危险为党提供情报、挫败敌人阴谋的故事。

故事中的余则成和翠平是解放战争时期我们党潜伏在敌人内部的地下工作者的典型代表。他们坚守自己的政治信仰,与敌人巧妙周旋,上演了一出出惊险刺激、跌宕(dàng)起伏的连台好戏。岁月流逝,随着越来越多的秘密被解密,我党特工当年所作出的贡献将得到人们的进一步肯定,这是党和人民给予他们的最高礼赞。

血沃上甘岭

1950 年 6 月，朝鲜战争爆发。不久，以美国为首的"联合国军"悍然侵入朝鲜，使朝鲜战争进一步扩大。从 8 月开始，美国飞机多次侵入中国领空进行侦察和轰炸，把战火烧到了中朝边界。10 月，应朝鲜同志的要求，中国人民志愿军跨过鸭绿江，和朝鲜人民一起抗击美帝国主义的侵略。

两年后，经过中国人民志愿军和朝鲜军民的浴血奋战，"联合国军"遭受到了巨大的打击，不得不提出停战谈判。但是他们仍不甘心失败，就秘密酝酿要发动一次大的攻击，好找回一点儿颜面。

1952 年 10 月，"联合国军"发动了代号为"摊牌作战"的所谓"金化攻势"。他们发动这次攻击的主要目标是夺取被称为朝鲜"中线门户"的五圣山，打击我志愿军的有生力量，好在停战谈判中获得主动权。五圣山前的上甘岭地理位置十分重要，美军计划以一天的时间将其拿下。

上甘岭位于五圣山南麓，岭上有一个只有十几户人家的小山村。当时在上甘岭地区担任防御任务的是中国人民志愿军 15 军 45 师，他们驻守在上甘岭两个总面积不足 4 平方公里的山包上。

10 月 14 日凌晨,美军开始炮击上甘岭,上甘岭战役正式打响了。

10 月 14 日凌晨 2 时到 4 时许,美军的炮火攻击非常猛烈,平均每秒钟有 6 发炮弹落在上甘岭阵地上。如此猛烈的炮火使大地都颤抖起来,躲在防空洞中的志愿军战士感觉就像坐着小船在波浪滔天的大海上颠簸(diān bó)一样,不少人的嘴唇都磕破了,有的战士甚至耳朵都被炮声给震聋了。炮击持续了两个多小时,志愿军战士苦心修筑的防御工事荡然无存。

凌晨 5 时,以美军第七师为主力的"联合国军"7 个营,在 30 余辆坦克、40 余架飞机的支援下,分 6 路向上甘岭发起了猛烈进攻。我志愿军战士在通讯线路被敌人炸毁、各阵地联络不畅的情况下,各自为战,浴血拼杀,先后打退了敌人的四次进攻。经过一上午的激战,"联合国军"有好几个营的伤亡超过了 70%,不得不撤下去休整,换上其他营接着再战。战斗一直进行到黄昏,上甘岭阵地仍然被我军牢牢控制着。在这短短的一天时间里,"联合

国军"向上甘岭疯狂地发射了30余万发炮弹,将上甘岭的主峰削低了整整两米。

15日至18日,美军又先后投入两个团的兵力,在大炮、飞机的支援下,对上甘岭阵地发起了第二波猛攻。战斗越来越惨烈,阵地得而复失,失而复得,一天之中几度易手,每次易手都伴随着震耳欲聋的大炮声和拼杀声。阵地上尸横遍野,鲜血染红了高地。美军出动轰炸机向志愿军阵地投掷凝固汽油弹,使阵地成为一片火海。一股美军占据了几个前哨阵地,架起了机枪向志愿军疯狂扫射。这时,一个名叫孙子明的志愿军战士从昏迷中醒来了。他抓起身边的几颗手榴弹,朝着这股敌人猛扑了过去,英勇地与敌人同归于尽。孙子明是上甘岭战役中与敌人同归于尽的38个勇士中的第一人。

由于地形狭小,上甘岭战场上最多只能展开两个营的部队,双方只能采取逐次增兵的战术,一个营,一个连,甚至一个排、一个班地投入战斗。经过数个昼夜的血战,志愿军投入的二十多个满员连中,最多的剩下不超过30人,最少的已不足10人。这时,大部分阵地已落入美军手中。

19日下午,太阳刚刚落山,志愿军15军集中大部分重炮和"喀秋莎"火箭炮,对已经被美军占领的上甘岭阵地实施了猛烈炮击。这次炮击十分成功,一举摧毁了美军四分之三的防御工事。炮击结束后,志愿军趁着夜色发动了反攻。照明弹发出耀眼的光亮,阵地上硝烟弥漫,枪炮声、爆炸声响成一片。在志愿军突进的过程中,一个叫黄继光的通讯员英勇地用胸膛挡住了美军的射击孔,为战友们赢得了宝贵的时间。经过浴血奋战,志愿军终于将上甘岭阵地全部夺了回来。

经过多日血战,敌我双方都感到筋疲力尽,不得不暂时休战,战场上出现了少有的宁静。21日,美军的增援部队到达,随即发动又一波进攻,占领了上甘岭全部地表阵地。志愿军被迫撤入坑道中,但仍继续坚持战斗。

美军为了消灭坑道里的志愿军战士,分批轮番上阵,不停地向坑道口发起猛烈攻击。他们一面采用火焰喷射器、炸药包等对坑道里的志愿军进行强攻,一面对志愿军坚守的坑道实行严密的炮火封锁,企图使坑道内的志愿军战士陷入水尽粮绝的绝境。

由于饮用水难以运输,志愿军的火线运输员冒着生命危险向坑道内运送的主要是既能解渴又能充饥的萝卜、苹果。长期的坑道作战给志愿军战士带来的困难是常人难以想象的。负伤的战士躺在潮湿的坑道里,伤口不断地感染、化脓。卫生员没办法,只好在没有麻醉药的情况下给伤员动手术。但是,很少有伤员因为伤痛而呻吟,也很少有伤员在没有麻醉的手术中发出撕心裂肺的惨叫。他们默默地躺在昏暗的坑道里,帮战友擦枪,帮战友压子弹,用钢铁般的意志谱写了一曲曲惊天地、泣鬼神的壮歌。只要天色一黑下来,坑道里的志愿军战士们就组织小分队四处出击,炸地堡,提哨兵,搞得美军草木皆兵,夜不能寐(mèi),逐渐失去了继续打下去的勇气和信心。

10月30日晚,志愿军发动了决定性大反击。战况异常惨烈,志愿军战士前赴后继,一浪接一浪地冲锋,把美军打得连连败退。到11月25日上午,志愿军重新占领了上甘岭的全部阵地,并全歼守敌。此时,以美国为首的"联合国军"已经伤亡约两万人。

11月25日,由于伤亡惨重,"联合国军"被迫将部队撤出阵地进行休整,进攻也随之停止。至此,上甘岭战役以中国人民志愿军的胜利宣告结束。战役结束后,上甘岭这个弹丸之地一举成名,成了中国人民家喻户晓的地方。

智慧点灯

　　本则故事改编自相关史料,并参考了战争影片《上甘岭》。上甘岭战役是一次举世瞩目的防御性战役。交战双方在上甘岭地区总面积不足 4 平方公里的两个山头阵地上,激烈战斗了 40 多个昼夜,逐次增加兵力达 10 万人,其持续时间之长、战斗之激烈、伤亡之惨重,在战争史上相当少见。

　　上甘岭一战,我志愿军战士打出了国威和军威,向世界展示了中国人民"抗美援朝,保家卫国"的坚强决心。美国新闻界评论说,这次战役实际上是朝鲜战争中的"凡尔登"。美国军方更是难忘这一失败,至今仍把上甘岭战役列入军事院校的教科书中,作为经典战例进行重点研究。

图书在版编目（CIP）数据

让青少年一生受益的战争故事/文羽军主编. —青岛：
青岛出版社,2010.2
（让青少年一生受益的故事）
ISBN 978 - 7 - 5436 - 5922 - 3

Ⅰ. 让…　Ⅱ. 文…　Ⅲ. 故事 - 作品集 - 世界　Ⅳ. I14

中国版本图书馆 CIP 数据核字（2009）第 237252 号

书　　名	**让青少年一生受益的战争故事**
主　　编	文羽军
出版发行	青岛出版社
社　　址	青岛市徐州路 77 号（266071）
本社网址	http://www.qdpub.com
邮购电话	13335059110　（0532）85814750（兼传真）　80998664
责任编辑	刘耀辉　　**电话**　（0532）80998622
特约编辑	刘　强
特约校对	刘克东
装帧设计	乔　峰
照　　排	青岛新华出版照排有限公司
印　　刷	青岛海尔丰彩印刷有限公司
出版日期	2010 年 5 月第 1 版　2010 年 5 月第 1 次印刷
开　　本	16 开（710mm×965mm）
印　　张	16
字　　数	200 千
书　　号	ISBN 978 - 7 - 5436 - 5922 - 3
定　　价	26.00 元

编校质量、盗版监督免费服务电话　8009186216

青岛版图书售出后如发现印装质量问题,请寄回青岛出版社印刷物资处调换。

电话　0532 - 80998826